KÖNIGS ERLÄUTERUNGEN

Band 400

Textanalyse und Interpretation zu

Ödön von Horváth

JUGEND OHNE GOTT

Volker Krischel

Alle erforderlichen Infos für Abitur, Matura, Klausur und Referat
plus Musteraufgaben mit Lösungsansätzen

Zitierte Ausgaben:
Horváth, Ödön von: *Jugend ohne Gott. Roman.* Husum/Nordsee: Hamburger
Lesehefte Verlag, 2011 (Hamburger Leseheft Nr. 230, Heftbearbeitung: Sandra
Schött). Zitatverweise sind mit **HL** gekennzeichnet.
Horváth, Ödön von: *Jugend ohne Gott. Roman.* Mit einem Kommentar von
Elisabeth Tworek. Frankfurt/M.: Suhrkamp, 1999 (Suhrkamp BasisBibliothek 7).
Zitatverweise sind mit **ST** gekennzeichnet.

Über den Autor dieser Erläuterung:
Volker Krischel, geb. 1954, arbeitete nach dem Studium der Germanistik,
Geschichte, Katholischen Theologie, Erziehungswissenschaften, Klassischen
Archäologie, Kunstgeschichte und Geografie mehrere Jahre als Wissenschaft-
licher Mitarbeiter – besonders im Bereich der Museumspädagogik – am
Württembergischen Landesmuseum Stuttgart. Heute ist er als Oberstudienrat in
Gerolstein, Eifel, tätig.
Er hat mehrere Arbeiten zu Autoren der neueren deutschen Literatur sowie zur
Museums- und Unterrichtsdidaktik veröffentlicht.

Hinweis:
Die Rechtschreibung wurde der amtlichen Neuregelung angepasst.
Zitate von Ödön von Horváth müssen auf Grund eines Einspruches in der alten
Rechtschreibung beibehalten werden.

2. Auflage 2014
ISBN 978-3-8044-1939-1
PDF: 978-3-8044-5939-7, EPUB: 978-3-8044-6939-6
© 2004, 2011 by C. Bange Verlag, 96142 Hollfeld
Alle Rechte vorbehalten!
Titelabbildung: Szenenbild aus einer Inszenierung am Josefstadt Theater Wien
© Moritz Schell (Fotograf), Wien
Druck und Weiterverarbeitung: Tiskárna Akcent, Vimperk

1. DAS WICHTIGSTE AUF EINEN BLICK – SCHNELLÜBERSICHT

Damit sich der Leser in diesem Band schnell zurechtfindet und das für ihn Interessante gleich entdeckt, hier eine kurze Übersicht.

Das 2. Kapitel beschreibt Horváths Leben und stellt den zeitgeschichtlichen Hintergrund vor.

S. 10 f.
→ Ödön von Horváth lebte von 1901 bis 1938. Von 1924 bis 1936, als er als „unerwünschte Person" ins österreichische Exil ging, lebte Horváth in Berlin.

S. 14 f.
→ Nach der Machtergreifung Hitlers (1933) wird das nationalsozialistische Menschenbild mit Hilfe eines gewaltigen Propagandaapparates in Deutschland umgesetzt.

S. 21 f.
→ Neben 3 Romanen und etwas Kurzprosa umfasst Horváths Gesamtwerk ca. 20 Dramen.

→ *Jugend ohne Gott*, Horváths bekanntester Roman, erschien 1937, wurde aber bereits 1938 in Deutschland verboten.

Das 3. Kapitel bietet eine Textanalyse und -Interpretation:

Jugend ohne Gott – Entstehung und Quellen:

S. 26 f.
In *Jugend ohne Gott* verarbeitet Horváth eigene Erfahrungen und spiegelt auch seine eigene Entwicklung wider.

Inhalt:

S. 33 f.
Als sich ein Lehrer in einem faschistischen Staat nicht systemkonform verhält, kommt es mit seiner Klasse, den Schülereltern und dem Vorgesetzten zum Konflikt. Während eines Zeltlagerauf-

enthalts des Lehrers mit seiner Klasse gerät einer seiner Schüler durch das Fehlverhalten des Lehrers in Verdacht des Einbruchs und der Sachbeschädigung. Kurz danach wird dieser Schüler ermordet aufgefunden. Ein Mitschüler gerät unter Mordverdacht. Über den Prozess findet der Lehrer zu seinem Gottesglauben zurück und gesteht seine eigene Schuld. Der Lehrer versucht den wirklichen Mörder, einen Schüler seiner Klasse, zu überführen. In die Enge getrieben, begeht dieser Selbstmord. Der Lehrer verlässt daraufhin Deutschland und geht an eine Missionsschule in Afrika.

Aufbau:

Jugend ohne Gott besteht aus 44 Kapiteln, die alle Überschriften haben.

⇨ S. 56 f.

Inhaltlich lässt sich die Handlung des Romans in vier „Teile" aufgliedern, denen jeweils ein Handlungsort zugeordnet ist. In sich streben diese vier Handlungsabschnitte jeweils dramatisch auf einen Handlungshöhepunkt hin:

→ In der Schule (Kapitel 1–7): Hass und Misstrauen zwischen Lehrer und Klasse, gegenseitige Verachtung
→ Im Zeltlager (Kapitel 8–21): Mord am Schüler N
→ Vor Gericht (Kapitel 22–29): „Finden Gottes", „Geständnis" des Lehrers
→ Auf Mörderjagd (Kapitel 30–44): Entlarvung des wirklichen Mörders von N

Personen:

Lehrer
→ frustriert
→ gottsuchend

⇨ S. 62 f.

⇨ S. 67 f.

Julius Caesar
→ Außenseiter
→ weise

⇨ S. 68 f.

der Pfarrer
→ gebildet
→ lebensbejahend

⇨ S. 70 f.

der Direktor
→ angepasst
→ vorsichtig

⇨ S. 71 f.

der Feldwebel
→ erfahren
→ menschlich

⇨ S. 72 f.

die Eltern des Lehrers
→ einfach
→ egoistisch

⇨ S. 73 f.

Schüler T
→ unauffällig
→ emotionslos

⇨ S. 75

Schüler N
→ ideologiehörig
→ unkritisch

⇨ S. 75 f.

Schüler Z
→ jähzornig
→ einsam

die Mädchenklasse
→ unattraktiv
→ systemangepasst

⇨ S. 76 f.

der Klub
→ human
→ systemkritisch

⇨ S. 77 f.

der Vater des Schülers N
→ humorlos
→ ideologiegläubig

⇨ S. 78 f.

Eva
→ brutal
→ einsichtig

⇨ S. 79 f.

Die Personen werden ausführlich und in ihrer Beziehung zueinander vorgestellt.

Stil und Sprache Horváths:

Textvernetzung und bildhafte Erzählweise fordern zu einem sorg-   ⇨ S. 82 f.
fältigen Lesen auf. Häufige monologische und dialogische Form
erinnert an Drama.

Es gibt eine Vielzahl unterschiedlicher Deutungsversuche.

Vier Interpretationsansätze werden ausgewählt:

Jugend ohne Gott ist   ⇨ S. 85 f.
→ ein religiöser Roman
→ ein Kriminalroman
→ ein psychologischer Roman
→ ein zeitkritischer Roman

2. ÖDÖN VON HORVÁTH: LEBEN UND WERK

2.1 Biografie

Ödön von Horváth
1901–1938
© ullstein bild

JAHR	ORT	EREIGNIS	ALTER
1901	Susak bei Fiume (Rijeka, heute Kroatien)	Edmund (= Ödön) Josef (=Jusip) von Horváth wird als Sohn von Maria Hermine und Dr. Edmund Josef von Horváth am 9. Dezember geboren.	
1902	Belgrad	Übersiedlung nach Belgrad.	1
1903	Belgrad	Geburt des Bruders Lajos.	2
1908	Budapest	Übersiedlung nach Budapest, Ödön erhält ersten Unterricht in ungarischer Sprache.	7
1909	München	Versetzung des Vaters und Umzug der Eltern nach München.	8
1909–1913	Budapest	Ödön bleibt vorerst in Budapest und besucht das erzbischöfliche Internat und Gymnasium „Rákóczianum".	8–12
1913	München	Umzug Ödöns nach München zu seinen Eltern.	12
1913–1916	München	Besuch zweier verschiedener Gymnasien mit mäßigem Erfolg.	12–15
1916	Preßburg	Übersiedlung nach Preßburg.	15
1916–1918	Preßburg	Besuch der Oberrealschule in Preßburg; früheste erhaltene literarische Versuche.	15–17
1918	Budapest	Umzug nach Budapest.	17
1919	Wien	Matura (Abitur) am Realgymnasium in Wien.	18

ÖDÖN VON HORVÁTH

2.1 Biografie

JAHR	ORT	EREIGNIS	ALTER
1919–1921	München	Studium an der Ludwig-Maximilians-Universität in München, u. a. Germanistik und Theaterwissenschaften, das Studium schließt er nicht ab. Erste ernstzunehmende literarische Versuche.	18–20
1920		Bekanntschaft mit dem Komponisten Siegfried Kallenberg, der ihn einlädt, die Ballettpantomime *Das Buch der Tänze* zu schreiben.	19
1922	München	Konzertante Aufführung von *Das Buch der Tänze,* es erscheint anschließend als erste Publikation Horváths im Münchener Schahin Verlag. Horváth versucht später die Auflage aufzukaufen und vernichtet sie.	21
1923	Murnau	Umzug der Eltern nach Murnau (Oberbayern). Beginn intensiver schriftstellerischer Arbeit, Horváth vernichtet später die meisten dieser frühen Arbeiten.	22
1924	Paris, Berlin	Mehrwöchige Parisreise, Umzug nach Berlin.	23
1926–1929	Osnabrück Hamburg Berlin	Aufführung erster Stücke in Osnabrück *(Das Buch der Tänze)*, Hamburg *(Revolte auf Côte 3018)* und Berlin *(Die Bergbahn)*, Entstehung des Stückes *Sladek oder die schwarze Armee* (in der überarbeiteten zweiten Fassung erhält es den Titel *Sladek, der schwarze Reichswehrmann)*, **literarischer Durchbruch.** Der Ullstein-Verlag bietet Horváth einen Vertrag an, der ihm **freie schriftstellerische Arbeit** ermöglicht.	25–28
1930	Berlin	Horváths erster Roman *Der ewige Spießer* erscheint. Abschluss der Arbeiten an den Volksstücken *Italienische Nacht* und *Geschichten aus dem Wiener Wald*.	29

2.1 Biografie

JAHR	ORT	EREIGNIS	ALTER
1931	Berlin	Uraufführung des Stückes *Die italienische Nacht* in Berlin. Horváth wird als Zeuge zu einer von den Nationalsozialisten provozierten Saalschlacht in seinem Wohnort Murnau vernommen und wegen seiner Aussage von NSDAP-Zeitungen heftig angegriffen. Kleist-Preis (zusammen mit Erich Reger) auf Vorschlag von Carl Zuckmayer, Beginn der Freundschaft zwischen Zuckmayer und Horváth. Uraufführung der *Geschichten aus dem Wiener Wald* am Deutschen Theater in Berlin (2. November).	30
1932	Leipzig	Uraufführung des Volksstückes *Kasimir und Karoline* in Leipzig, Arbeit an *Glaube, Liebe, Hoffnung*.	31
1933	Wien / Budapest / Murnau / München	Umzug nach Wien. Beendigung der Arbeit an *Die Unbekannte aus der Seine* und *Hin und her*. Umzug nach Budapest, um die ungarische Staatsbürgerschaft behalten zu können. Heirat mit der jüdischen Sängerin Maria Elsner. Das Haus der Eltern in Murnau wird von der SA durchsucht. Horváths Bücher werden in München verbrannt, seine Stücke dürfen nicht mehr in Deutschland aufgeführt werden.	32
1934	Berlin / Zürich	Rückkehr nach Berlin. Veröffentlichung des Stücks *Himmelwärts*, Uraufführung von *Hin und her* in Zürich, Entstehung des Dramenfragments *Der Lenz ist da*. Scheidung von Maria Elsner.	33
1935	Wien	Umzug nach Wien, Verschlechterung der finanziellen Situation. *Mit dem Kopf durch die Wand* (Auftragsarbeit), Uraufführung von *Mit dem Kopf durch die Wand* in Wien, unter dem Pseudonym H. W. Becker Arbeit als Coautor und Autor für Filmdrehbücher.	34

2.1   Biografie

JAHR	ORT	EREIGNIS	ALTER
1936	Salzburg	Umzug nach Salzburg. Fertigstellung der Stücke *Don Juan kommt aus dem Krieg*, *Ein Dorf ohne Männer*, *Der jüngste Tag*, *Glaube, Liebe, Hoffnung* und *Figaro lässt sich scheiden*. Treffen mit Carl Zuckmayer, Franz Werfel und Franz Theodor Csokor in Wien. Uraufführung von *Glaube, Liebe, Hoffnung* in Wien.	35
	Wien		
1937		Uraufführungen in Wien, Prag und Mährisch-Ostrau, der **Roman *Jugend ohne Gott* erscheint** in Amsterdam und wird in 8 Sprachen übersetzt.	36
1938		*Ein Kind unserer Zeit* (Roman) erscheint in Amsterdam und New York.	37
	Wien	Nach dem Einmarsch der Hitlertruppen in Österreich (sog. „Anschluss Österreichs")	
	Budapest	verlässt Horváth Wien und geht nach Budapest, von dort reist er nach Prag und von dort über Jugoslawien, Triest, Venedig, Mailand, Zürich und Amsterdam nach Paris.	
	Paris	Hier steht Horváth in Verbindung mit dem amerikanischen Regisseur Robert Siodmak wegen der Verfilmung von *Jugend ohne Gott*. Horváth wird am 1. Juni während eines Gewitters auf dem Champs Élysées von einem herabstürzenden Ast getötet und auf dem Friedhof St. Quen in Paris bestattet.	
1988	Wien	Horváths sterbliche Überreste werden nach Österreich überführt und in einem Ehrengrab der Stadt Wien auf dem Zentralfriedhof bestattet.	

2.2 Zeitgeschichtlicher Hintergrund

ZUSAMMEN-
FASSUNG

→ nationalsozialistische Propaganda

→ staatskonforme Jugenderziehung in nationalsozialistischen Jugendorganisationen nach „Machtergreifung" 1933 („Jungvolk", „Jungmädelbund", „Hitlerjugend", „Bund Deutscher Mädel")

→ Widerstand der Jugend in illegalen, nicht systemkonformen Gruppen (z. B. „Edelweißpiraten")

Deutschland nach Hitlers „Machtergreifung"

Moralische
Deformierung
der Jugend

Horváths Roman *Jugend ohne Gott* bezieht sich zwar nirgends ausdrücklich auf die Entwicklung Deutschlands im Nationalsozialismus, zeigt aber, wie Menschen in einem faschistischen Staat beeinflusst und gelenkt werden. Horváth stellt dabei besonders die „ideologische und moralische Deformierung der Jugend im Faschismus", aber auch ihr „Widerstandspotential"[1] dar.

Hitlers „Macht-
ergreifung" 1933

Hintergrund und „Auslöser" des Romans war das Geschehen in Deutschland nach Hitlers „Machtergreifung". Am 5. März 1933 war Hitler nach einer von ihm stark beeinflussten Wahl zum Reichskanzler gewählt worden. Innerhalb von nur knapp zwei Jahren gelang es ihm, aus der demokratischen Weimarer Republik eine nationalsozialistische Diktatur zu machen.

Rundfunk als
Propaganda-
instrument

Jetzt konnte er beginnen, seine bereits in seinem Buch *Mein Kampf* (1925–1927) veröffentlichten Vorstellungen als Regierungsziele umzusetzen: Führerkult, Rassenlehre und Lebensraumideologie. Mit einem gewaltigen Propagandaapparat wurde diese Ideo-

---

1 Kaiser, S. 62.

2.2 Zeitgeschichtlicher Hintergrund

logie unters Volk gebracht. Dabei spielte vor allem der (Staats-)
Rundfunk eine besondere Rolle. Die Nationalsozialisten entwickel-
ten ihn zum perfekten Propagandainstrument. 1931 wurde ein
preiswertes Radio, der sog. **„Volksempfänger"**, auf den Markt gebracht. Mit diesem Gerät konnte man allerdings nur den Staats-
rundfunk empfangen. Der Empfang ausländischer Sender war
ausgeschlossen. Der Slogan einer damaligen Plakataktion lautete
bezeichnenderweise: „Ganz Deutschland hört den Führer mit dem
Volksempfänger."

Hier wurde nun verkündet, dass nur die deutsch-germanische,
die sog. „arische" Rasse „Kulturträger"[2] sei. Nicht systemkonforme Kunst wurde als „undeutsch" abgewertet und verboten. Diese
Erfahrung musste auch Horváth machen. Ab 1932 durften seine
Stücke in Deutschland nicht mehr aufgeführt werden. Er selbst
wurde in der NS-Presse u. a. als **„Schriftsteller fragwürdiger Herkunft"**, „Mischling altösterreichischer Rasse" und als **„Salonkul-
turbolschewist"** bezeichnet.[3] Sein Roman *Jugend ohne Gott* wurde
1938 in die *Liste des schädlichen und unerwünschten Schrifttums*
aufgenommen und damit in Deutschland verboten.

*Liste des
schädlichen und
unerwünschten
Schrifttums*

Wer in Deutschland nicht systemkonforme Meinungen publizier-
te oder „undeutscher" Herkunft war, wurde verfolgt oder zumindest
verboten und gesellschaftlich-„moralisch" abgewertet. So kam es
am 10. Mai 1933 zur öffentlichen Verbrennung aller Bücher, die
„wider den deutschen Geist"[4] waren.

Im „deutschen Sinn" zu denken (das hieß für die Nationalsozialisten, alles, was nicht ins nationalsozialistische Denksystem
passte, zu verbieten und abzuwerten), war eins der Hauptziele

Im „deutschen
Sinn" denken

---

2   Zitiert nach Halbritter, S. 120.
3   Vgl. u. a. die Aufführungskritik zu *Revolte auf Côte 3018* (zitiert nach Bartsch, S. 48).
4   Vgl. den „Aufklärungsfeldzug" der Deutschen Studentenschaft vom 12. April bis zum 10. Mai
    1933 (zitiert nach Krischke, *Jugend ohne Gott,* S. 223).

2.2   Zeitgeschichtlicher Hintergrund

von Hitlers Pädagogik. Hierbei spielten die nationalsozialistischen Jugendorganisationen eine entscheidende Rolle.

Die nationalsozialistischen Jugendorganisationen und ihre Erziehungsziele

"Hitlerjugend" und "Bund Deutscher Mädel"

Seit 1939 musste jeder Junge ab dem 10. Lebensjahr ins "Jungvolk" und vom 14. bis zum 18. Lebensjahr in die "Hitlerjugend" (HJ) eintreten. Für die Mädchen waren die entsprechenden Organisationen der "Jungmädelbund" (10- bis 14-Jährige) und der "Bund Deutscher Mädel" (BDM) (14- bis 18-Jährige).

Damit war es spätestens seit 1939 möglich, **die gesamte deutsche Jugend nationalsozialistisch zu indoktrinieren.** "Die nicht so verlässlichen Erziehungsmächte Familie und Schule waren ihrer Monopolstellung beraubt."[5] In wöchentlichen Heimabenden, Sportnachmittagen, Tagesfahrten, Zeltlagern, Feierstunden und Sportfesten fand die streng geschlechtsspezifisch differenzierte "Schulung" statt. Im Vordergrund stand hierbei für die Jungen die vormilitärische Ausbildung und bei den Mädchen die Vorbereitung auf die vorgesehene Mutterrolle.

Verwendungszweck als Soldat

Für Hitler stand bei der Erziehung der Jugendlichen das Ziel der Heranziehung von beherrschbaren Untertanen im Vordergrund. Für die Jungen kam aber noch die spezielle Ausrichtung auf den "Verwendungszweck" als Soldat hinzu.

Wie er sich die ideale Jugend vorstellte, sagte Hitler deutlich in einem Gespräch mit H. Rauschning:

Eine "grausame Jugend" als Ziel

"(...) eine gewalttätige, herrische, unerschrockene, grausame Jugend will ich (...) es darf nichts Schwaches und Zärtliches an ihr sein. Das freie, herrliche Raubtier muss erst wieder aus ihren

---

5   Bergmann, *Nationalsozialistische Jugendorganisationen*, S. 35.

2.2 Zeitgeschichtlicher Hintergrund

Augen blitzen. (...) Ich will keine intellektuelle Erziehung. Mit Wissen verderbe ich mir die Jugend."[6]

In den Zeltlagern der HJ und später beim Militär sollte den Jungen diese Pädagogik vermittelt werden. Hitler war zudem der Ansicht, dass Soldaten ohnehin besser zur Erziehung der Jungen geeignet seien als Lehrer.

Soldaten als Erzieher

„Auch war für ihn Ziel und Krönung aller Erziehung (...) die Armee, in der (...) [die Jungen] befehlen und gehorchen, Recht und Unrecht schweigend ertragen lernen, kurz zum Mann werden sollten."[7]

In seiner Schrift *Wehrgedanke und Schule* nannte der Studienrat L. Gruenberg aber auch die **Aufgabe der nationalsozialistischen Lehrer:**

„Wir deutschen Lehrer müssen uns ganz allgemein freimachen von der Vorstellung, als seien wir in erster Linie Wissenschaftsübermittler. (...) Ein kommender Waffengang des deutschen Volkes wird die Probe darauf sein, ob der deutsche Lehrerstand ein brauchbares Glied des deutschen Volkes im Dritten Reich geworden ist."[8]

Kommender Krieg als Probe

Auch die **Erziehung der Mädchen** war eindeutig:

„Die nationalsozialistische Frauenpolitik sah entgegen dem in Kunst und Propaganda beschworenen Mythos von der Frau als

---

6   Rauschning, H., *Gespräche mit Hitler*, S. 237 (zitiert nach Hohmeier, S. 20).
7   Homeier, S. 20.
8   Gruenberg, S. 5.

2.2 Zeitgeschichtlicher Hintergrund

„Wehrertüchtigung" bei der Hitler-Jugend im Oktober 1944
© ullstein bild/ H. Schmidt-Luchs

arischer Mutter die Frauen als Lohnarbeitskraft, Hausarbeitskraft und in ihrer Gebärfunktion und wollte sie nach den Kriterien der Rassen- und Bevölkerungspolitik in je spezifischer Weise für die Bedürfnisse des Regimes mobilisieren. (...) Wie die HJ bei den Jungen sollte der BDM aus den Mädchen Trägerinnen der nationalsozialistischen Weltanschauung machen und sie unter Ausnutzung des Wunsches nach Loslösung vom Elternhaus und nach Gleichberechtigung mit den Jungen für das Regime verfügbar machen."[9]

---

9 Honekamp, S. 44.

2.2 Zeitgeschichtlicher Hintergrund

Hitler selbst äußerte sich schon 1932 zur Erziehung der Mädchen:

> „Analog der Erziehung des Knaben kann der völkische Staat auch
> die Erziehung des Mädchens von den gleichen Gesichtspunkten
> aus leiten. Auch dort ist das Hauptgewicht vor allem auf die kör-
> perliche Ausbildung zu legen, erst dann auf die Förderung der
> seelischen und zuletzt der geistigen Werte. Das Ziel der weib-
> lichen Erziehung hat unverrückbar die kommende Mutter zu
> sein."[10]

Im BDM sollten daher auch **zwei Drittel der Tätigkeit den sport-
lichen Betätigungen gewidmet** sein. Ziel war „Disziplin und Leis-
tungswillen auszubilden und ‚die mütterliche und rassische Be-
wusstheit für den erbgesunden, kraftvollen und schönen Körper zu
stärken'"[11]: „Straff, aber nicht stramm – herb, aber nicht derb"[12].

Körper wichtiger als Geist

Die **Heiratsannoncen aus dem Völkischen Beobachter** zeigen
in erschreckender Weise, zu welchem (geschlechterspezifischen)
Selbstverständnis eine solche Erziehung führen konnte:

„Straff, aber nicht stramm – herb, aber nicht derb"

> „(...) blonder Vollgermane, kernig und erbgesund, sucht auf die-
> sem Wege die Mutter seiner kommenden Kinder und Wahre-
> rin seines Hortes. Selbe muss Garantin rassischer Vollwertigkeit
> kommender Geschlechter sein."[13] oder
>
> „Deutsche Minne, blondes BDM-Mädel (...) artbewusst, kin-
> derlieb, mit starken Hüften, möchte einem deutschen Jungmann
> Frohwalterin seines Stammes sein (...) Nur Neigungsehe mit za-
> ckigem Uniformträger."[14]

---

10 Hitler, zitiert nach: Honekamp, S. 47.
11 Honekamp, S. 44.
12 Ebd.
13 *Völkischer Beobachter* vom 12. August 1934.
14 Ebd.

Widerstand in illegalen Jugendgruppen

Obwohl im Gesetz über die HJ vom 1. Dezember 1936 die gesamte Jugend des Deutschen Reiches in der HJ zusammengefasst wurde und die Durchführungsverordnung vom März 1939 festlegte, dass **alle Jugendlichen Zwangsmitglieder in der HJ** werden mussten, so gab es doch – von Partei und Polizei kriminalisiert und verfolgt – aus verschiedenen Milieus und Traditionen stammende informelle Jugendgruppen, die „ihr Jugendleben außerhalb der HJ nach freien und selbst getroffenen Entscheidungen führen wollten und z. T. vom Willen zur bloßen Nonkonformität, z. T. vom Willen zum Widerstand gegen Nationalsozialistisches geprägt waren."[15]

Wille zur Nonkonformität

„Edelweißpiraten"

Die bekannteste dieser Gruppen waren die sog. „Edelweißpiraten". Solche Jugendgruppen wurden von den Nationalsozialisten als „Wilde Jugendgruppen" oder „Cliquen" bezeichnet. Auch die **konfessionell bestimmten Gruppen**, die z. T. durch das päpstliche Konkordat noch eine Zeit lang weiter existieren konnten und vor allem in der Vorkriegszeit eine gewisse Rolle spielten, müssen hier genannt werden.

Die Reaktion von Partei und Polizei auf diese non-systemkonformen oder gar systemfeindlichen Jugendgruppen war hart, Mitgliedern drohten **Gefängnis- und KZ-Strafen**. So wurden 1944 etwa in Köln 13 Edelweißpiraten von der Gestapo hingerichtet.

---

15 Bergmann, *Nationalsozialistische Jugendorganisationen*, S. 35.

2.3 Angaben und Erläuterungen zu wesentlichen Werken

1923	ab 1927	1937	1938
Sportmärchen (Satiren)	Volksstücke (Demaskierung des Kleinbürgertums)	***Jugend ohne Gott*** *Ein Kind unserer Zeit* (zeitkritische Romane)	Tod

Ödön von Horváths Gesamtwerk ist relativ klein: Es umfasst nur ca. 20 **Dramen**, drei **Romane** und etwas **Kurzprosa**. Auf das Gesamtœuvre einzugehen würde aber den Rahmen dieser Publikation sprengen. Es werden daher im Folgenden nur einige wichtige Werke vorgestellt. **Schmales Gesamtwerk**

In seinen 1923/24 entstandenen, zum Frühwerk gehörenden 19 *Sportmärchen* und acht *Weiteren Sportmärchen* zeichnet Horváth satirisch die Entwicklung des Sports in seiner Zeit. In den 1920er-Jahren gewann der Sport allgemein an gesellschaftlichem Stellen- *Sportmärchen*

Horváth als **Sportler**: kritische Sicht auf die Kommerzialisierung des Hobbysports

Horváth als „**Volksstückschreiber**": Kritische, entlarvende Sicht auf das Kleinbürgertum

Horváth als **Opfer der Nationalsozialisten**: Kritik am faschistischen Menschenbild und der faschistischen Untertanenmanipulation

1923	*Sportmärchen*
1931	*Geschichten aus dem Wiener Wald*
1932	*Kasimir und Karoline*
	Glaube, Liebe, Hoffnung
1937	*Jugend ohne Gott*
	Ein Kind unserer Zeit

2.3 Angaben und Erläuterungen zu wesentlichen Werken

wert, wurde quasi „salonfähig."[16] Horváth, selbst ein begeisterter Sportler, kritisierte in seinen „Märchen" besonders das **übertriebene Leistungsdenken** im professionellen Sportbetrieb sowie dessen **Kommerzialisierung**, aber auch die Selbstüberschätzung und Dummheit der Amateure. Seiner Meinung nach ging dadurch der eigentliche Sinn des Sports, nämlich körperliche Selbsterfahrung und das damit verbundene Glücks- und Wohlbefinden verloren. Die bewusst gewählte Form des Märchens diente Horváth dabei als „Vehikel der Satire"[17].

Mord in der Mohrengasse

Sein erstes vollständig erhaltenes Theaterstück ist das Kriminalstück *Mord in der Mohrengasse* von 1923/24. Das dreiaktige Schauspiel spielt innerhalb von zwölf Stunden. Zwar findet man in dieser frühen Arbeit Horváths „noch das ungebrochene Pathos des jungen Schriftstellers"[18], aber es gibt bereits die Motive, Schauplätze und Figurenkonstellationen, die für Horváths spätere Arbeiten so charakteristisch sind:

> „Die schicksalhaften Schuldverstrickungen der einzelnen Familienmitglieder lassen innerhalb der bürgerlichen Familie die geradezu existenzialistische Erfahrung des Hineingeworfenseins in einen Schuldzusammenhang beziehungsweise in die ‚Hölle' (...) machen, die die anderen bedeuten."[19]

Fehlende Schuldeinsicht

Dabei wird „die fehlende Einsicht der Personen in ihre eigene Schuld" zum zentralen Thema des Dramas.

---

16   Vgl. Bartsch, S. 20.
17   Tismar, S. 30.
18   Gamper, S. 13.
19   Bartsch, S. 28.

2.3   Angaben und Erläuterungen zu wesentlichen Werken

Berühmt wurde Horváth aber durch seine zwischen 1927 und 1933 entstandenen so genannten **„Volksstücke"**. Horváth stellt sie ausdrücklich in Traditionen des „klassischen" Volksstücks.

Dabei sieht er sich aber eher **in der Nachfolge Nestroys**, dessen entlarvenden Sprachwitz er sich zum Vorbild nahm, als in der Tradition Anzengrubers, dessen pathetische und oft unsensible Sprachgestaltung Horváth ablehnte.

Nestroy als Vorbild

Für Horváth war „das Volk" der „Kleinbürger" seiner Zeit. Er verstand sich als „Erneuerer des Volksstücks"[20].

Aber „das Volksstück schlägt um ins Antivolksstück (...) Die alten Volksstückfiguren lassen wie im Angsttraum sich wiedererkennen (...) Die neue Geborgenheit, die da vorgestellt wird, explodiert und offenbart sich als Kleinhölle. Die heile Welt (...) ist die des vollendeten Unheils, die Volksgemeinschaft der Kampf aller gegen alle."[21]

Horváths wohl bekanntestes Volksstück sind die *Geschichten aus dem Wiener Wald* (1931). Vordergründig scheint die Handlung dem normalen Schema der herkömmlichen Volksstücke zu entsprechen: „Paare werden getrennt und finden nach einigen Wirren in einem erlösenden happyending wieder zueinander"[22].

Geschichten aus dem Wiener Wald

Aber das Stück entpuppt sich schnell als doppelbödig. Kaum etwas ist so, wie es vordergründig erscheint. Das zeigt sich bereits im Titel. Er ist dem Walzer von Johann Strauß entlehnt und assoziiert Walzerseligkeit und Operettenszenerie. Aber die gezeigte Wiener Vorstadt ist spießig und trostlos. Der „Zauberkönig" und der „gut-

---

20   Ebd., S. 44.
21   Adorno, T. W.: *Reflektionen über das Volksstück* (zitiert nach www.zum.de/Faecher/D/BW/gym/Horvath/mats1.htm) Stand Mai 2011.
22   Bartsch, S. 80.

2.3   Angaben und Erläuterungen zu wesentlichen Werken

mütige" Metzger Oskar entpuppen sich als typische Kleinbürger, die hinter der Maske der Ehrbarkeit egoistische Berechnung und sadistische Triebhaftigkeit verbergen. Selbst der in Amerika reich gewordene Heimkehrer, der in den alten Volksstücken quasi als Deus ex Machina die Rettung brachte, bringt hier für die weibliche Hauptfigur Marianne die totale (gesellschaftliche) Vernichtung.

Demaskiertes Kleinbürgertum

Auf geradezu satirische Weise demaskiert Horváth so das Kleinbürgertum. Mit zynischem Blick entlarvt er die Tragödie des menschlichen Miteinanders: Zuneigung und Gefühl werden zu Spielsteinen in einem grausamen Spiel. Gegenseitiges Ausnutzen und Gleichgültigkeit bestimmen den Alltag.

Glaube, Liebe, Hoffnung

In seinem letzten Volksstück *Glaube, Liebe, Hoffnung* negiert Horváth schon durch den Untertitel „Kleiner Totentanz" die sich an Korinther 13,13 anlehnenden „Titelwerte". Weder Glaube noch Liebe noch Hoffnung retten die weibliche Titelfigur Elisabeth. Vielmehr wird sie durch „die bornierten und selbstmitleidig paranoiden, eigennützigen Spießer in den Selbstmord getrieben."[23]

Ähnlich wie Marianne in *Geschichten aus dem Wiener Wald* muss auch Elisabeth die Erfahrung machen, dass in der patriarchalischen kleinbürgerlichen Gesellschaft für die Selbstentfaltung der Frau kein Platz ist.

„[Aber] Horváth demaskiert in *Glaube, Liebe, Hoffnung* nicht nur den miesen Charakter des Kleinbürgers, der an den schwächsten Gliedern der Gesellschaft, den Frauen, seinen Totentanz inszeniert, sondern erkennt im letzten seiner Dramen vor der Machtübernahme durch die Nationalsozialisten wie auch schon in den

---

23   Ebd., S. 96.

2.3 Angaben und Erläuterungen zu wesentlichen Werken

vorangegangenen Volksstücken hellsichtig die Todgeweihtheit dieses Kleinbürgertums und das Erstarken des militaristischen Spießertums."[24]

In seinen beiden letzten Werken, den Romanen *Jugend ohne Gott* und *Ein Kind unserer Zeit*, zeigt Horváth die **Auswirkungen der vom Kleinbürgertum getragenen faschistischen Ideologie**. Schildert er in *Jugend ohne Gott* vor allem die Deformierung der Jugendlichen im Faschismus, so beschreibt er in *Ein Kind unserer Zeit* die Auswirkung dieser Ideologie auf junge Erwachsene. Im Roman schildert ein junger Soldat seine Wandlung. Aufgrund seiner Erfahrungen macht er einen Bewusstseinswandel durch. Vom obrigkeitshörigen unkritischen Mitläufer, für den das Schicksal des Einzelnen nicht zählt, geht ihm „der Sinn für die Verantwortlichkeit der Einzelmenschen auf."[25] Er hat erkannt, dass er „Opfer der völkischen Politik und des militaristischen Kollektivismus"[26] geworden ist. Trotzdem zeigt der Sprachgebrauch des Soldaten/Erzählers, dass er nach wie vor „dem faschistischen Sprachgebrauch verfallen"[27] ist. Er bleibt ein Kind seiner Zeit.

Der Lehrer (Gerd Baltus) packt die Koffer in der Romanverfilmung „Wie ich ein Neger wurde" (BRD, 1969) © Cinetext

---

24 Ebd., S. 97.
25 Fritz, S. 102.
26 Bartsch, S. 167.
27 Ebd., S. 170.

3. TEXTANALYSE UND -INTERPRETATION

3.1 Entstehung und Quellen

ZUSAMMEN-
FASSUNG

→ 1937, innerhalb von nur zwei Wochen, schrieb Horváth
   Jugend ohne Gott im österreichischen Exil.
→ Vorstufe war das Dramenfragment *Der Lenz ist da.*
→ In der Figur des Lehrers verarbeitete Horváth seine
   eigene Entwicklung.
→ Viele Romanfiguren haben reale Vorbilder.
→ 1938 wurde der Roman in Deutschland verboten.

Ödön von Horváth schrieb seinen Roman *Jugend ohne Gott* innerhalb
von nur zwei Wochen **in der zweiten Julihälfte 1937** in Henndorf
bei Salzburg, wohin er 1936 gezogen war.

In Deutschland war Horváth nach der Machtergreifung der Nationalsozialisten 1933 eine unerwünschte Person. Seine Stücke
durften nicht mehr auf deutschen Bühnen aufgeführt werden. Zwei
geplante Aufführungen, u. a. die Uraufführung von *Glaube, Liebe,
Hoffnung* in Berlin, mussten abgesagt werden. Neben dem Verlust
seines „Podiums Berlin"[28] bedeutete das für Horváth aber auch eine
starke finanzielle Einbuße.

Er verließ Berlin und ging nach Murnau, wo seine Eltern leb-
ten. Als die SA das Haus seiner Eltern durchsuchte, floh Horváth
nach Österreich. In Budapest ließ er seine ungarische Staatsange-
hörigkeit erneuern. Ansonsten lebte er in Wien und Salzburg. Seine
Rückkehr 1934 nach Berlin mit der Hoffnung, dort wieder arbei-

*Aufführungs-
verbot in
Deutschland*

---

28 Hildebrandt, S. 86.

3.1 Entstehung und Quellen

ten zu können, wurde enttäuscht. Horváth war unerwünscht und musste nach kurzem Aufenthalt wieder abreisen. Danach lebte er zeitweise in Budapest (um seine ungarische Staatsbürgerschaft zu sichern) und in Wien, bevor er sich 1936 in **Henndorf bei Salzburg** niederließ.

Hier im österreichischen Exil im Haus seines Freundes Carl Zuckmayer (1896–1977) setzte eine kreative Schaffensphase ein: Innerhalb eines Jahres schrieb Horváth allein fünf Theaterstücke. 1937 verfasste er innerhalb weniger Wochen seine beiden letzten Romane *Jugend ohne Gott* und *Ein Kind unserer Zeit*.

Österreichisches Exil

Dass diese enorme Schaffenskraft auch durchaus pragmatische Gründe hatte, zeigt folgende Bemerkung Horváths, die er kurz nach Fertigstellung von *Jugend ohne Gott* schrieb:

„Ich muß dies Buch (...) schreiben. Es eilt, es eilt! Ich habe keine Zeit, dicke Bücher zu lesen, denn ich bin arm und muß arbeiten, um Geld zu verdienen, um essen zu können, zu schlafen. Auch ich bin nur ein Kind meiner Zeit."[29]

Geldnot

Unter welchen Bedingungen Horváth seinen Roman *Jugend ohne Gott* schreiben musste, vermittelt auch ein Brief seiner Freundin Wera Liessem (1913–1992), in dem sie u. a. schildert, dass Horváth nur sehr widerwillig und erst nach Intervention Zuckmayers dazu bereit gewesen sei, sein Manuskript noch einmal zu überarbeiten. Horváth habe es genügt, das Buch schon in Gedanken richtig durchgearbeitet zu haben. Es habe ihn vielmehr gedrängt, mit dem neuen Roman *Ein Kind unserer Zeit* zu beginnen. Nach der Durcharbeitung sei Horváth jedoch glücklich gewesen, dass seine Freunde ihn zu dieser Arbeit „getreten" hätten.[30]

---

29 Zitiert nach: Krischke, *Kind seiner Zeit*, S. 234.
30 Vgl. Liessem, S. 84.

3.1 Entstehung und Quellen

Vorarbeiten

Horváths Vorarbeiten zu *Jugend ohne Gott* gehen bis ins Jahr 1934 zurück. Zu nennen sind hier Entwürfe mit der späteren Kapitelüberschrift „Auf der Suche nach den Idealen der Menschheit", einige weitere handschriftliche Skizzen und besonders das Dramenfragment *Der Lenz ist da! Ein Frühlingserwachen in unserer Zeit* sowie ein ausführliches Exposé zu diesem Drama.

Dramenfragment Der Lenz ist da!

Besonders das Dramenfragment *Der Lenz ist da!* weist starke **Motivparallelen** zum späteren Roman *Jugend ohne Gott* auf. So finden sich in beiden Werken Hinweise auf einen militaristisch-autoritären Staat, der sowohl die männlichen wie auch die weiblichen Jugendlichen auf den Krieg hin erzieht (Zeltlager). Aber auch das zentrale Motiv der Liebe sowie die Motivgruppe Soziales und Ökonomie und die damit verbundenen sozialkritischen Elemente finden sich in beiden Werken wieder. Man könnte das Dramenfragment fast als eine Art dialogisierende Vorstufe des Romans ansehen.[31]

Vergleicht man das Fragment und den Roman jedoch genauer, so erkennt man, dass trotz dieser weit reichenden Parallelen das thematische Anliegen auf einer etwas anderen Ebene liegt:

Konzentriert sich das Romangeschehen auf „die Figur des Lehrers, seine Beziehung zur jungen Generation und sein Verhalten (...) in einem faschistischem Staat", so gilt Horváths Interesse im Dramenfragment einem „jungen Menschen, Peter, [der als] Repräsentant des Geistes, des kritischen Intellekts" eingeführt wird.[32]

Hoffnung auf „eine neue Jugend"

Horváth selbst bezeichnet seinen Roman *Jugend ohne Gott* in einem **Begleittextentwurf** als „ein Buch gegen die [geistigen] Analphabeten", dem die Hoffnung auf „eine neue Jugend" eingeschrieben sei.[33]

---

31 Vgl. hierzu auch: Birbaumer, S. 116–128.
32 Steets, S. 117.
33 Zitiert nach: Bartsch, S. 158.

3.1 Entstehung und Quellen

Der Grundtenor des Dramenfragments ist im Roman also beibehalten worden, durch die Einführung der Lehrerfigur wurde jedoch eine andere Perspektive gewählt.

Horváths Freund, der Schriftsteller Franz Theodor Csokor (1885–1969), macht aber noch auf eine Entwicklung Horváths aufmerksam, die sich seiner Meinung nach schon in den drei den Romanen vorausgehenden Stücken angedeutet hat:

> „[Es] hatte sich etwas Bemerkenswertes in dem Dichter Ödön von Horváth vorbereitet, das man vielleicht den Eintritt Gottes nennen möchte. In dem Augenblick nämlich, in dem ein Künstler verspürt, dass die trefflichste existenzialistische Diagnose ebenso wenig genügt wie die dialogisierte Ausrede auf den Klassenkampf in dramaturgischer Schwarz-Weiß-Manier, wo er merkt, dass die Frage nach Schuld und Bekenntnis gestellt werden muss, und zwar an sich selbst, wo er sozusagen zum Schreibtisch seines Gewissens wird – in diesem Augenblick öffnet er sich, freilich in einem höheren als dem kirchlich beschränkten Sinn, der Anerkennung Gottes."[34]

Der „Eintritt Gottes"

Daneben finden sich aber noch andere Parallelen zum Roman in Horváths Biografie. Ähnlich wie der Lehrer in *Jugend ohne Gott* sich vom „angepassten Opportunisten zum wahrheitsliebenden Emigranten"[35] wandelt, hatte auch Horváth eine Wandlung durchgemacht. Er hatte zwar öffentlich gegen den Nationalsozialismus Stellung bezogen, war aber in der Hoffnung auf Aufhebung des Bücherverbotes 1934 in den nationalsozialistisch geführten Reichsverband Deutscher Schriftsteller (RDS) eingetreten und war damit

Biografische
Parallelen

---

34 Schulenburg, S. 135.
35 Tworek, Elisabeth: *Kommentar in der Suhrkamp-Ausgabe*, S. 155.

Mitglied der Reichsschrifttumskammer geworden. Erst 1937 voll-
zog Horváth den inneren Wandel. Er wollte jetzt „ohne Kompromis-
se, ohne Gedanken ans Geschäft" schreiben. Horváth erkannte: „Es
gibt nichts Entsetzlicheres als eine schreibende Hur. Ich geh nicht
mehr auf den Strich ..."[36]

Vom Beobachter zum Gegner

In *Jugend ohne Gott* ist Horváth folgerichtig kein Beobachter
mehr, sondern er bezieht Stellung gegen Hitlerdeutschland.

Im Roman selbst lassen sich aber auch Verarbeitungen von in
Murnau konkret Erlebtem finden. So etwa ist das Zeltlager der Jungen im Roman sicherlich eine Spiegelung des ersten Hochland-
lagers der Hitlerjugend, das bei Murnau vom 4. bis 28. August 1934
stattfand.

Für die „marschierende Venus" könnte Horváth hingegen durch
die wechselvolle Geschichte der „Evangelischen Privaten Höheren
Mädchenschule des Evangelischen Schulvereins Murnau" angeregt
worden sein. Auch für einige Figuren des Romans lassen sich kon-

Vorbilder in der Realität

krete Vorbilder finden: Nach Horváths Bruder Lajos (1903–1968)
war der Hauptschullehrer Ludwig Köhler (1884–1942) das Vorbild
für den Exlehrer Julius Caesar im Roman. Mit ihm soll sich Horváth
häufig in Murnau getroffen haben.

Der Lehrer im Roman dürfte sein Vorbild in dem Lehrer Dr. Leo-
pold Huber (1893–1990) haben. Auch er war ein Bekannter Horváths und wurde auf Druck des SS-Ortsgruppenleiters, weil er sein
Amt als Lehrer „missbrauche", um die Schulkinder zu Gegnern der
nationalsozialistischen Bewegung zu erziehen, von Murnau nach
Aidlingen strafversetzt.

---

36 Zitiert nach: ebd.

3.1 Entstehung und Quellen

Selbst der Pfarrer in *Jugend ohne Gott* findet sein Vorbild im Pfarrer Karl Bögner (1883–1970), den Horváth vom Stammtisch her kannte.[37]

So wie die drei Romanfiguren das „Triumvirat der Außenseiter"[38] im Roman bilden, so waren auch die realen Vorbilder Außenseiter in der nationalsozialistisch geprägten Gesellschaft Murnaus.

Am 26. Oktober 1937 wurde *Jugend ohne Gott* vom Verlag Allert de Lange in Amsterdam ausgeliefert. Horváth hatte mit diesem **Amsterdamer Exilverlag** seit dem 13. Juli einen Vertrag, der die Abgabe eines Romanmanuskriptes bis zum 1. Dezember 1937 vorsah.

Die Schüler in einer Inszenierung im Theater in der Josefstadt, Wien (2009)
© Moritz Schell, Wien

Erstausgabe 1937

---

37 Zu den Vorbildern der Romanfiguren vgl. auch ebd., S. 162 f.
38 Nach Schlemmer, S. 51.

3.1 Entstehung und Quellen

Innerhalb von nur zwei Jahren wurde der Roman allein zehnmal übersetzt. In Deutschland war *Jugend ohne Gott* bereits am 7. März 1938 verboten worden. Am 16. März 1938, nach der Annektierung Österreichs durch das „Dritte Reich", emigrierte Horváth von Wien nach Budapest.

Ende Mai reiste er nach Paris, wo er am 1. Juni Gespräche mit seinem Verleger und mit dem deutsch-amerikanischen Filmregisseur Robert Siodmak (1900–1973) über eine Verfilmung von *Jugend ohne Gott* führte. Auf dem Nachhauseweg von Siodmak wurde Horváth während eines heftigen Gewitters auf den Champs Élysées von einem herabstürzenden Ast erschlagen.

3.2 Inhaltsangabe

ZUSAMMEN-FASSUNG

Der Ich-Erzähler, ein junger Lehrer, gerät in einem faschistischen Deutschland durch seine systemkritische Einstellung in Konflikt mit seinen Schülern. Während eines Zeltlageraufenthalts mit seiner Klasse kommt es durch das Fehlverhalten des Lehrers zur Auseinandersetzung zwischen zwei Schülern, die mit der Ermordung eines Schülers endet. Im Verlauf des Mordprozesses findet der Lehrer zu seinem Gottesglauben zurück und gesteht seine Schuld. Er enttarnt mit einigen systemkritischen Schülern den wahren Mörder, verlässt aber dann Deutschland, um an einer Missionsschule in Afrika zu unterrichten.

Die Neger
(HL S. 5–7/ST S. 9–12)

Die Handlung beginnt am 25. März, dem 34. Geburtstag des Ich-Erzählers, eines Lehrers für Geschichte und Geografie am Städtischen Gymnasium. Nachdem er die Geburtstagswünsche seiner Eltern gelesen hat, reflektiert er darüber, dass er unzufrieden ist, obwohl es ihm wirtschaftlich als beamtem Lehrer gut geht.

Dann beginnt er die Aufsätze seiner Schüler zu dem vorgegebenen Thema „Warum müssen wir Kolonien haben?" zu korrigieren. Der Lehrer benennt seine Schüler alle nur mit dem Anfangsbuchstaben ihrer Nachnamen und ihm graut es schon vor den vielen Aufsätzen mit ihren „schiefen Voraussetzungen" und „falschen Schlußfolgerungen" (HL S. 6/ST S. 11).

Aufsatzthema „Warum müssen wir Kolonien haben?"

Als er im Aufsatz des Schülers N den Satz „Alle Neger sind hinterlistig, feig und faul" (HL S. 6/ST S. 11) liest, will er ihn zunächst

3.2   Inhaltsangabe

streichen, erinnert sich aber dann, dass er diesen Satz selbst im Radio gehört hat, und lässt ihn stehen.

Als der Lehrer den Aufsatz des Schülers W vermisst, fällt ihm ein, dass dieser Schüler bei der Klassenarbeit gefehlt hat, weil er sich als Zuschauer beim sonntäglichen Fußballspiel eine Lungenentzündung zugezogen hatte. Als der Lehrer ihm Vorwürfe machen will, weil er bei dem eisigen Wetter ein mittelmäßiges Fußballspiel besucht hatte, wird ihm bewusst, dass er selbst Zuschauer dieses Fußballspiels gewesen war.

Es regnet
(HL S. 7–8/ST S. 12–14)

Fünf gegen einen

Als der Lehrer am nächsten Tag auf dem Weg ins Lehrerzimmer ist, muss er sechs Schüler trennen, die zu fünft einen Schüler verprügeln. Sie hatten ihm sein Frühstücksbrot entwendet und es in den Schulhof geworfen. Als der Lehrer sie nach dem Grund fragt, wissen sie keinen. Auch die Vorstellungen des Lehrers von Ritterlichkeit und Fairness, dass nicht fünf auf einen einprügeln dürften, stößt bei allen sechs Schülern auf Unverständnis. Der Lehrer fragt sich, was für eine Generation hier heranwächst.

Die reichen Plebejer
(HL S. 9–12/ST S. 14–19)

„Auch die Neger sind doch Menschen"

Als der Lehrer in der Geografiestunde die Klassenarbeiten zurückgibt, hat er sich entschlossen, über den Inhalt vorschriftsgemäß nichts zu sagen. Er beschränkt sich auf Anmerkungen zu Form- und Rechtschreibfehlern. Bei dem Schüler N, der sich in seiner Arbeit abwertend über die Neger geäußert hatte, lässt der Lehrer sich jedoch zu der Bemerkung hinreißen: „Auch die Neger sind doch Menschen" (HL S. 10/ST S. 15).

3.2 Inhaltsangabe

In der Elternsprechstunde am nächsten Tag reflektiert der Lehrer über die Väter seiner Schüler und ihm wird klar, dass er in seinem Alter auch schon einen Sohn haben könnte. Er weist diese Vorstellung jedoch weit von sich.

Als der Vater des Schülers N, ein Bäckermeister, erscheint, will er den Lehrer wegen seiner Bemerkung über das Menschsein der Neger zur Rechenschaft ziehen. Dabei wirft der Vater dem Lehrer staatsfeindliche „Humanitätsduselei" (HL S. 10/ST S. 16) vor und zeigt auch eine einseitige instrumentalisierte Bibelauffassung. Als der Lehrer ihn schließlich hinauskomplimentiert, droht der Vater ihm mit Konsequenzen.
Der Bäckermeister

Zwei Tage später wird der Lehrer zum Direktor gerufen, der von der Aufsichtsbehörde einen Beschwerdebrief des Bäckermeisters N über den Lehrer erhalten hat. Der Schuldirektor zeigt zwar Verständnis für den Standpunkt des Lehrers, macht ihn aber darauf aufmerksam, dass seine Auffassung den offiziellen Richtlinien widerspreche und solche Äußerungen in der Öffentlichkeit fehl am Platz seien.
Der Direktor

Der Direktor gibt dem Lehrer gegenüber jedoch zu, dass er selbst, um seine Stellung behalten zu können, auf die offizielle Linie eingeschwenkt sei, und zeigt ihm am Beispiel des alten Roms, dass sie in einer „plebejischen Welt" (HL S. 11/ST S. 18) leben, einer Welt der „reichen Plebejer" (HL S. 12/ST S. 18), in der man sich arrangieren müsse.

Das Brot
(HL S. 12–13/ST S. 19–20)

Als der Lehrer am nächsten Tag in seine Klasse kommt, überreichen ihm die Schüler einen Brief, in dem sie ihm ihr Misstrauen aussprechen und um eine andere Lehrperson bitten. Alle Schüler
Misstrauensvotum der Schüler

1 SCHNELLÜBERSICHT

2 ÖDÖN VON HORVÁTH:
LEBEN UND WERK

3 TEXTANALYSE UND
-INTERPRETATION

3.2 Inhaltsangabe

der Klasse (außer dem kranken W) haben den Brief unterschrieben, sind jedoch zu feige, den Verfasser zu nennen.

Als der Lehrer sich rechtfertigen will, entdeckt er, dass die Klasse ihn bespitzelt, indem sie alles, was er sagt, mitschreibt. Er empfindet daraufhin nur noch Verachtung und bittet den Direktor, ihn in eine andere Klasse zu versetzen.

Der Direktor lehnt das aber mit der Begründung, die anderen Klassen seien auch nicht besser, ab und begleitet den Lehrer in seine Klasse zurück. Dort staucht er die Klasse zusammen. Der Lehrer glaubt den Hass seiner Klasse zu spüren und, da er keine Disziplinarstrafe haben will, entschließt er sich, nur noch die offiziell erlaubte Meinung zu vertreten.

Die Pest
(HL S. 13–15/ST S. 21–23

Verlorenes Unrechts- empfinden

Abends macht sich der Lehrer Gedanken über die Geschehnisse des Tages. Er fragt sich, ob er schon zu alt sei, diese Generation zu verstehen. Besonders bedauert er, dass die Schüler alles, was ihm heilig ist, ablehnen, ohne es zu kennen oder gar kennen lernen zu wollen.

Der Lehrer erkennt aber auch, dass die inhumane Einstellung der Schüler Ergebnis der offiziellen staatlichen Propaganda ist. Die Schüler haben, wie die ganze Gesellschaft, kein Unrechtsempfinden mehr.

Emotional aufgewühlt verlässt der Lehrer seine Wohnung, um sich in einem Café abzulenken. Als er dort keine Bekannten trifft, geht er ins Kino, um auch dort seine Sicht der Gesellschaft bestätigt zu sehen. Nach dem Kino besucht er noch eine Bar. Als ein Mädchen ihm dort Gesellschaft leisten will, lehnt er ihre Begleitung ab.

3.2 Inhaltsangabe

Das Zeitalter der Fische
(HL S. 15–18/ST S. 23–27)

Der Lehrer betrinkt sich in der Bar und „philosophiert" dabei vor sich hin. Schließlich spricht ihn Julius Caesar an, ein ehemaliger Lehrerkollege, der nach einer Affäre mit einer Schülerin entlassen wurde und sich nun als Hausierer durchschlägt. Er trägt dem Lehrer seine Auffassung über Entwicklung, Beziehung und Werte der Jugendlichen im Vergleich der Generationen vor. Dabei zeichnet Julius Caesar ein düsteres Bild der Bildung der heutigen Jugend und sieht das kalte „Zeitalter der Fische" (HL S. 18/ST S. 27) kommen.

Begegnung mit Julius Caesar

Der Lehrer ist so betrunken, dass er nur Stücke der langen Debatte mit Julius Caesar behalten hat. Als er morgens erwacht, liegt er in einem fremden Bett, neben einer schlafenden Frau, an die er sich nicht erinnern kann. Er schaut aus dem Fenster und fürchtet das herannahende Zeitalter der Fische.

Der Tormann
(HL S. 18–21/ST S. 28–31)

Am nächsten Morgen, als der Lehrer nach Hause kommt, erwartet ihn dort der Vater seines Schülers W. Der Schüler W liegt im Sterben und hat als letzten Wunsch, sein Idol, den Tormann seiner Lieblingsfußballmannschaft, zu sehen. Der Vater bittet den Lehrer, das zu ermöglichen. Das gelingt dem Lehrer auch. Während der Tormann dem todkranken W vom Fußball erzählt, stirbt der Junge „mit einem seligen Lächeln, still und friedlich" (HL S. 20/ST S. 30).

W's letzter Wunsch

Auf W's Beerdigung, auf der seine ganze Klasse anwesend ist, fühlt der Lehrer, dass N sein Todfeind ist, der ihn, wenn er könnte, vernichten würde. Auch von seinem Schüler T fühlt der Lehrer sich beobachtet. Er kommt ihm mit seinen glanzlosen Augen wie ein Fisch vor.

Todfeind N

3.2   Inhaltsangabe

Der totale Krieg
(HL S. 21–24/ST S. 31–35)

Das Zeltlager

In den Osterferien muss der Lehrer mit seiner Klasse ins vormilitärische Zeltlager. Seit drei Jahren gibt es diese Anordnung für alle
Mittelschulen. Im Zeltlager werden die Jungen von Unteroffizieren
im Ruhestand ausgebildet, vom vierzehnten Lebensjahr an auch im
Schießen. Schüler und Lehrer sind begeistert dabei.

Als der Bus mit den Schülern und ihrem Lehrer in dem Dorf, in
dessen Nähe das Zeltlager aufgebaut werden soll, ankommt, werden sie von den Honoratioren des Ortes (Bürgermeister, Gendarme-
rieinspektor, Lehrer und Pfarrer) freudig begrüßt. Bürgermeister
und Dorflehrer erzählen dem Lehrer, dass das große Sägewerk am
Ortsrand stillgelegt worden sei, es daher im Dorf viele Arbeitslose
gebe und ein Drittel der Kinder unterernährt sei. Der Pfarrer bittet
den Lehrer, auf seine Schüler zu achten, da in der Nähe Mädchen
einquartiert seien.

Schüler und Lehrer bauen unter Anleitung des Feldwebels begeistert ihre Zeltstadt auf. Abends muss der Lehrer an den toten W
denken. Beim Anblick der Kisten mit den Gewehren wird dem Lehrer bewusst, dass die Schießübungen Kriegsvorbereitungen sind.

Die marschierende Venus
(HL S. 24–26/ST S. 35–37)

Die Mädchen-
klasse

Am nächsten Morgen übt die Klasse exerzieren. Dabei wird N, als er
den Z grob anfährt, vom Feldwebel zurechtgewiesen. Als die Klasse
abmarschiert, bleibt der Lehrer mit M und B, die Küchendienst
haben, im Lager zurück. Eine Gruppe von zwanzig Mädchen mit
ihrer Lehrerin marschiert auf das Zeltlager zu. Der Lehrer geht auf
sie zu und erfährt von der Lehrerin, dass sie sich als Amazonen
verstehen, die nicht auf Äußerlichkeiten achten. Sie freut sich auf
die Geländespiele und bedauert, dass Frauen nicht an die Front

3.2 Inhaltsangabe

kommen. Der Lehrer kann sich für keine „rucksacktragende Venus"
(HL S. 25/ST S. 37) begeistern und bedauert die Mädchen.

Unkraut
(HL S. 26–27/ST S. 38–39)

Als der Lehrer den Feldwebel suchen geht, beobachtet er zwei ca.
13 Jahre alte Jungen und ein ca. 15 Jahre altes Mädchen, die eine
alte blinde Bäuerin aus dem Haus locken, um im Haus stehlen zu
können. Als die Frau um Hilfe ruft, hält das Mädchen ihr den Mund
zu, bis der Junge mit einem Laib Brot und einer Vase das Haus
verlassen hat. Der Lehrer kommt der hilflosen Frau zur Hilfe, aber
die Jugendlichen sind bereits verschwunden.

Eine blinde Bäurin wird bestohlen

Der Bauer, der auf die Hilferufe seiner Mutter ebenfalls herbei-
geeilt kommt, erzählt dem Lehrer, dass die Kinder zu einer Bande
gehören, die in der Gegend stiehlt. Er warnt den Lehrer aufzupassen,
dass sein Zeltlager nicht auch noch bestohlen wird, und bezeichnet
die Kinderbande als „Unkraut" (HL S. 27/ST S. 39), das vernichtet
werden muss.

Die Räuberbande

Der verschollene Flieger
(HL S. 27–28/ST S. 39–41)

Auf dem Rückweg ins Zeltlager nimmt der Lehrer eine Abkürzung
durch das Dickicht. Dabei muss er an das Mädchen der Räuberbande
denken und wundert sich, dass er das Geschehen zwar verurteilt,
aber nicht darüber empört ist. Er findet den Karton, den die Mädchen
der marschierenden Venus in ihrem Geländespiel als verschollenen
Flieger suchen müssen, und macht sich Gedanken über die Situation
abgeschossener Piloten.

Zufällig belauscht der Lehrer das Gespräch zweier Mädchen, die
bei dem Geländespiel mitmachen müssen. Sie äußern ihren Unmut
über ihre Situation und wollen nach Hause, um sich pflegen zu

Belauschung zweier Mädchen

3.2 Inhaltsangabe

können. Sie geben den Männern die Schuld an ihrer Situation und der Lehrer muss ihnen Recht geben.

Geh heim!
(HL S. 29–30/ST S. 41–44)

Vorsichts-
maßnahmen
Im Lager berichtet der Lehrer dem Feldwebel von der Räuberbande. Der lässt die Schüler antreten und teilt sie in Nachtwachen ein.

Der Lehrer geht ins Dorf, um mit dem Bürgermeister einige Formalitäten, u. a. die Nahrungsversorgung, zu regeln. Hier trifft er den Pfarrer, der ihn zu sich einlädt. Auf dem Weg zum Pfarrhaus kommen sie auch an der Siedlung der armen Heimarbeiter vorbei. Die Kinder sehen sie hasserfüllt an, und der Lehrer empfindet den Kontrast zum gepflegten Pfarrhaus.

Der Pfarrer
Während der Pfarrer den Wein holt, entdeckt der Lehrer im Pfarrhaus das gleiche Bild, das auch seine frommen Eltern zu Hause hängen haben. Im Lehrer steigt die Erinnerung an seine Kindheit und sein Elternhaus auf, und er sehnt sich nach Zuhause.

Auf der Suche nach den Idealen der Menschheit
(HL S. 31–34/ST S. 44–49)

Kirche und Staat
Über die armen Kinder der Heimarbeiter, die dem Lehrer nicht aus dem Kopf gehen, kommen der Lehrer und der Pfarrer zur Problematik des Reichtums und der Stellung der Kirche. Während der Lehrer kritisiert, dass die Kirche immer auf der Seite der Reichen stehe, ist der Pfarrer der Auffassung, dass die Kirche auf der Seite der Reichen stehen müsse, denn es sei die Pflicht der Kirche, immer aufseiten des Staates zu stehen, der aber immer nur von den Reichen regiert werde. Der Staat sei jedoch naturnotwendig und damit gottgewollt. Zudem sei die Kirche das Nadelöhr, durch das auch der Reiche ins Himmelreich gelangen könne.

3.2 Inhaltsangabe

Der Pfarrer hebt in seinem Gottesbild die strafende Seite Gottes hervor und betont die Urschuld der Erbsünde. Der Lehrer kann diese Auffassung nicht teilen und gibt zu, nicht an Gott zu glauben. Der Pfarrer belehrt ihn aber, dass der Gedanke einer Art Erbsünde schon zu Beginn der abendländischen Philosophie vorhanden war, also keine Erfindung von Christentum und Kirche sei.

Die Frage nach Gott

Der römische Hauptmann
(HL S. 35–37/ST S. 49–53)

Während sich der Feldwebel, der den Jungen den Umgang mit dem Gewehr gezeigt hat und gerne wieder sein normales Leben zu Hause führen würde, mit dem Lehrer über seinen merkwürdigen Traum unterhält, erscheint der Schüler L und berichtet, dass ihm sein Fotoapparat aus seinem Rucksack im Zelt gestohlen worden sei.

Diebstahl einer Kamera

Der Lehrer vermutet, da es keine Indizien dafür gibt, dass die Kamera von Mitschülern gestohlen wurde, dass die Wachposten zu unaufmerksam gewesen seien und es der jugendlichen Räuberbande doch gelungen sei, heimlich in das Zeltlager einzudringen.

Er beschließt daher mit dem Feldwebel, heimlich die nächtlichen Wachen zu kontrollieren. Während der nächtlichen Kontrolle kommt dem Lehrer wieder das Bild im Haus seiner Eltern in den Sinn, besonders der darauf dargestellte römische Hauptmann. Er reflektiert über das mögliche Verhalten des Hauptmanns angesichts der Erkenntnis, dass der hingerichtete Jesus Gott ist, und angesichts des Vordringens der Barbaren.

Nächtliche Kontrollen

Der Dreck
(HL S. 37–38/ST S. 53–54)

Der Lehrer wacht weiter über die wachhabenden Schüler und macht sich dabei Gedanken über seinen Glauben an Gott. Er erkennt, dass

Gott oder Teufel?

er nicht an Gott, aber an den Teufel glaubt und dass die Freiheit zu entscheiden, ob er an Gott glaubt oder nicht, die einzige Freiheit ist, die er noch besitzt. Er denkt an das Gespräch mit dem Pfarrer und phantasiert sich einen Ball, bei dem die Tugenden mit den Untugenden tanzen. Aber die Vernunft betrinkt sich. Sortiert nach Sprache, Rasse und Kultur stehen die Dreckhaufen nebeneinander und stinken vor sich hin.

Z und N
(HL S. 39–41/ST S. 55–58)

Der Lehrer beobachtet, wie der Wachposten Z von einem fremden Jungen einen Brief erhält. Er verheimlicht diese Beobachtung vor dem Feldwebel, da er erst Beweise für eine Verbindung Z's mit der Kinderbande haben will.

Z führt ein Tagebuch

Im Zeltlager bittet der Schüler R den Lehrer, in einem anderen Zelt schlafen zu dürfen, da seine Zeltmitbewohner N und Z sich ständig raufen würden und er daher nicht schlafen könne. Als der Lehrer N und Z zur Rede stellt, erfährt er, dass Z ein Tagebuch führt, in das er all seine Gedanken schreibt. N sieht das als Selbstüberschätzung und will Z davon abhalten.

Der Lehrer entschließt sich, Z's Tagebuch heimlich zu lesen.

Adam und Eva
(HL S. 41–46/ST S. 58–65)

Der Lehrer liest das Tagebuch

Als der Feldwebel mit allen Schülern abmarschiert ist, um ihnen zu erklären, wie man Schützengräben und Unterstände anlegt, geht der Lehrer heimlich in das Zelt von N, Z und R, um nach Z's Tagebuch zu suchen. Er entdeckt einen Brief, den N's Mutter an ihren Sohn geschrieben hat, in dem sein Vater ihn bittet, darauf zu achten, ob der Lehrer wieder solche Bemerkungen über die Neger macht, er würde ihn dann vernichten.

3.2 Inhaltsangabe

Schließlich findet der Lehrer das Kästchen mit Z's Tagebuch.
Er öffnet das Schloss mit einem Draht und liest das Tagebuch. So
erfährt er, dass Z, als er sich bei einem Geländespiel verirrt hatte,
das Mädchen aus der Räuberbande getroffen hat. Sie haben sich
ineinander verliebt und haben ein Verhältnis miteinander.

Das Mädchen heißt Eva und ist die Anführerin der Räuberbande.
Am Ende seiner Tagebuchaufzeichnungen droht Z, jeden zu töten,
der sein Tagebuchkästchen anrührt.

Verurteilt
(HL S. 46–48/ST S. 65–68)

Als der Lehrer die Schüler anmarschieren hört, legt er das Tagebuch
in das Kästchen zurück und will es wieder verschließen, aber das
Schloss ist beschädigt und lässt sich nicht mehr sperren. So legt
er das offene Kästchen in Z's Schlafsack zurück. Dem Lehrer ist
bewusst, dass er eigentlich die Polizei verständigen müsste, als Z
sein aufgebrochenes Kästchen entdeckt und sofort N in Verdacht
hat. Der Lehrer nimmt sich vor, mit Z und dem Mädchen zu sprechen
und zu versuchen, beide zu retten. In seinen Überlegungen fühlt
er sich von T beobachtet und überlegt, ob T ihn beim Lesen des
Tagebuchs gesehen hat.

*Der Lehrer will Z
und das Mädchen
retten*

Der Mann im Mond
(HL S. 48–51/ST S. 68–71)

Der Lehrer schleicht sich nachts hinter einen Baum, vor dem Z Wa-
che hat. Er will hier mit Z und dem Mädchen sprechen. Als das
Mädchen schließlich kommt, schlafen Z und Eva miteinander, und
der Lehrer muss sich eingestehen, dass ihm das Mädchen auch ge-
fällt. Er sagt sich immer wieder, dass er mit beiden sprechen müsse,
aber er tut es nicht und verschiebt das Gespräch auf den nächsten
Tag. Als der Lehrer zurückschleicht, glaubt er, als er sich im Di-

*Der Lehrer
verschiebt das
Gespräch*

3.2 Inhaltsangabe

ckicht vorwärts tastet, ein Gesicht berührt zu haben. Erschrocken
hält er inne und muss sich sein moralisches Versagen und seine
Feigheit eingestehen.

Der vorletzte Tag
(HL S. 51–54/ST S. 71–75)

N's angebliches Geständnis

Als der Lehrer erwacht, sind die Schüler schon losmarschiert. Er
nimmt sich vor, direkt nach ihrer Rückkehr mit Z zu sprechen. Es
regnet in Strömen und ist sehr neblig. Als die Schüler zurückkehren,
fehlt N. Der Feldwebel vermutet, dass er sich verlaufen hat.

Als der Lehrer Z seine Schuld eingestehen will, behauptet Z, N
habe ihm gestanden, dass er das Kästchen aufgebrochen habe. Er
habe ihm aber verziehen. Der Lehrer ist erstaunt, widerspricht aber
nicht. Er beobachtet aber, dass Z's Jacke zerrissen ist und dass er
zerkratzte Hände hat.

Der Lehrer ahnt die Katastrophe und gibt sich die Schuld daran.
Als N am Nachmittag immer noch nicht aufgetaucht ist, begeben
sich alle vergeblich auf die Suche nach ihm. Der Feldwebel schlägt
vor, die Polizei einzuschalten.

Der letzte Tag
(HL S. 54–56/ST S. 75–77)

N ist erschlagen worden

Zwei Waldarbeiter kommen ins Lager. Sie haben N gefunden. Er ist
erschlagen worden. Die Polizei findet am Tatort den blutbefleckten
Stein, mit dem N erschlagen wurde, sowie einen Bleistift und einen
Kompass. Bevor N von hinten erschlagen wurde, muss ein Kampf
stattgefunden haben. Seine Hände sind zerkratzt und seine Jacke
ist zerrissen.

Beim Verhör durch den Staatsanwalt berichtet R über die Sache
mit dem Tagebuch und dass Z und N deshalb Todfeinde gewesen
seien. Darauf gesteht Z den Mord an N.

3.2   Inhaltsangabe

Die Mitarbeiter
(HL S. 56–59/ST S. 78–82)

Es ist Herbst, ein Tag vor dem Mordprozess. Der Lehrer sitzt auf der Terrasse eines Cafés und liest die Zeitungsinterviews zum Mordprozess. Er selbst gibt sich in dem Zeitungsinterview ganz systemkonform und verneint die Verrohung der Jugend.

Die Zeitungen berichten über den Prozess

Der Feldwebel erklärt, er halte mangelnde Disziplin für die Tatursache. Der Vater des Toten, der Bäckermeister N, klagt den Lehrer der Pflichtverletzung an und beschuldigt das Lehrpersonal insgesamt der Staatsfeindlichkeit.

Der Verteidiger des Angeklagten hält seinen Mandanten nicht für den Mörder, sondern glaubt, er wolle nur das Mädchen, dem er hörig sei, decken.

Mordprozeß Z oder N
(HL S. 59–60/ST S. 82–84)

Bei weitem nicht alle Zuschauer finden Einlass in den Gerichtssaal. Besonders die Frauen wollen den Angeklagten aus Sensationsgier sehen. Der Angeklagte erscheint sehr bleich, aber sonst unverändert.

Sensationsgier

Schleier
(HL S. 60–64/ST S. 84–88)

Die Anklage lautet nicht auf Totschlag, sondern auf Meuchelmord. Z muss sein Leben und seine Zukunftspläne schildern. Als der Präsident des Jugendgerichtshofs ihn fragt, ob er an Gott glaube und seine Tat bereue, bejaht Z beide Fragen. Im Verhör behauptet Z, N habe nie zugegeben, das Kästchen aufgebrochen zu haben, er habe das damals nur behauptet, um den Verdacht von sich abzulenken. An den genauen Tathergang könne er sich nicht mehr erinnern.

Z's Aussage

Als sein Verteidiger versucht, die Schuld auf das Mädchen zu schieben, bittet Z ihn, seine Verteidigung niederzulegen, da er für seine Schuld büßen wolle. Der Verteidiger verweist auf das Leid, das er damit seiner Mutter zufüge.

In der Wohnung
(HL S. 64–66/ST S. 88–91)

Die Stimme Gottes   In der Mittagspause geht der Lehrer spazieren und kauft sich in einem Zigarettengeschäft zehn Zigaretten. Es gehört einem uralten Ehepaar. Während die Frau das Geld wechseln geht, unterhält sich der Lehrer mit dem alten Besitzer über den Prozess. Der alte Mann glaubt, im Prozess Gottes Hand zu sehen, weil alle Beteiligten schuldig seien.

Der Lehrer meint daraufhin die Stimme Gottes zu hören, die ihn auffordert, endlich die Wahrheit zu sagen und die verdiente Strafe auf sich zu nehmen.

Der Kompaß
(HL S. 66–68/ST S. 91–94)

Die Aussagen der Zeugen   Der Prozess geht weiter. Weitere Zeugen werden vernommen, u. a. auch der Bäckermeister N, der sich nicht enthalten kann, heftige Vorwürfe gegen die Gesinnung des Lehrers zu äußern. Als Z's Mutter im Zeugenstand ist, behauptet sie, der Kompass, den man neben N's Leiche fand, gehöre nicht Z, sondern dem wahren Mörder. Z bezichtigt seine Mutter der Lüge und es kommt zum Streit zwischen beiden, in dem Z seiner Mutter u. a. vorwirft, ihn vernachlässigt zu haben. Sie habe zudem ihre Dienstmädchen ausgenutzt und so z. T. zum Diebstahl gezwungen (z. B. Thekla), ähnlich sei es auch Eva ergangen.

3.2 Inhaltsangabe

Das Kästchen
(HL S. 68–70/ST S. 94–96)

Der Lehrer wird als Zeuge vernommen. Während seiner Vereidigung wird Eva in den Saal geführt, aber da sie hinter ihm sitzt, kann er sie nicht sehen.

Nach einigen allgemeinen Aussagen zu N und Z gesteht der Lehrer, dass er das Kästchen aufgebrochen habe. Nach diesem Geständnis fühlt er sich erleichtert und erzählt das ganze Geschehen sowie seine Motive. Er gibt auch zu, Z aus Scham und Feigheit nichts gestanden zu haben.

Der Staatsanwalt macht ihn auf die Konsequenzen seines Geständnisses aufmerksam. Der Bäckermeister N bezichtigt den Lehrer, seinen Sohn auf dem Gewissen zu haben, und erleidet einen Herzanfall.

Der Lehrer spürt die allgemeine Abscheu, die alle mit Ausnahme Evas für ihn empfinden.

Das Geständnis des Lehrers

Vertrieben aus dem Paradies
(HL S. 70–72/ST S. 97–100)

Nachdem Eva vereidigt worden ist, will sie wie der Lehrer nun auch die Wahrheit sagen. Sie gesteht, dabei gewesen zu sein, als N und Z sich trafen und miteinander kämpften. Dabei habe N Z von einem Felsen hinabgestoßen. Weil sie geglaubt habe, Z sei tot, habe sie N mit einem Stein erschlagen wollen. Aber ein fremder Junge, der plötzlich aufgetaucht sei, habe ihr den Stein abgenommen und sei N gefolgt. Sie hätten miteinander gesprochen und der Fremde habe N erschlagen und in einen Graben geschleift. Sie sei versteckt gewesen und habe das alles beobachtet.

Z bestätigt die Aussage des Mädchens, hat aber den fremden Jungen nicht gesehen. Auf Nachfrage des Gerichtspräsidenten be-

Eva gesteht nun auch

3.2 Inhaltsangabe

tont Eva nochmals, dass sie nur die Wahrheit gesagt habe, weil auch der Lehrer das getan habe.

Als sie behauptet, sie habe Z nie geliebt, ist der geschockt, weil er die Schuld aus Liebe zu Eva auf sich hat nehmen wollen.

Der Fisch
(HL S. 72–74/ST S. 100–102)

Der Lehrer hat einen Verdacht

Als Eva gefragt wird, wie der Junge, der N erschlagen haben soll, aussah, erinnert sie sich nur an seine runden Fischaugen. Der Lehrer wird durch diese Beschreibung direkt an seinen Schüler T erinnert. Er springt auf, macht jedoch keine Aussage.

Nachdem der Lehrer den Gerichtssaal verlassen hat, ist ihm klar, dass er aus dem Lehramt entlassen werden wird. Aber er macht sich keine Sorgen. Er hat auch keine Angst mehr, allein in seinem Zimmer zu sein, und fragt sich, ob Gott jetzt auch bei ihm sei.

Er beißt nicht an
(HL S. 74–77/ST S. 102–106)

Das Urteil

Am nächsten Morgen liest der Lehrer in der Zeitung, dass Z wegen Diebstahlsbegünstigung und Irreführung der Behörden unter mildernden Umständen zu einer kleinen Freiheitsstrafe verurteilt wurde. Dem Mädchen aber habe keiner seine Unschuldsbeteuerungen geglaubt und es sei Anklage wegen Meuchelmordes gegen sie erhoben worden. Selbst Z habe ihr am Ende der Verhandlung, als sie ihn um Verzeihung bitten wollte, dass sie ihn nie geliebt habe, nicht die Hand gegeben.

Der Lehrer glaubt aber an Evas Unschuld und will den wahren Mörder fangen. Mit der Post erhält der Lehrer ein Schreiben der Aufsichtsbehörde, das ihm verbietet, das Gymnasium zu betreten. Seine Vermieterin benimmt sich ihm gegenüber scheu, denn in allen Zeitungen wird sein Verhalten kritisiert.

3.2 Inhaltsangabe

Nach der Schule fängt der Lehrer T ab und lädt ihn zu einem Eis ein, um mit ihm über den Mordprozess zu sprechen. T gibt zu, hinter dem Lehrer herspioniert zu haben, und weiß auch, dass der Lehrer das Tagebuch gelesen und Z und das Mädchen beobachtet hat. Er war es, dessen Gesicht der Lehrer in der Nacht berührt hatte. T behauptet, keine Angst zu haben, da er ja keine Fischaugen, sondern Rehaugen habe (vgl. HL S. 76/ST S. 105). Vielmehr sei der Spitzname des Lehrers Fisch, weil er keine Emotionen zeige.

T lässt sich vom Lehrer aber nicht in die Falle locken, sondern verabschiedet sich, weil er nach Hause zum Essen müsse. Der Lehrer will ihn weiterhin entlarven.

Der Lehrer fängt T ab

Fahnen
(HL S. 77–78/ST S. 106–108)
Die Stadt feiert mit Umzügen den „Geburtstag des Oberplebejers" (HL S. 77/ST S. 106). Der Lehrer betrachtet kritisch die Prozessionen, dann wird ihm klar, dass er selbst eine Fahne herausgehängt hat. Zunächst versucht er sich zu rechtfertigen, aber dann erkennt er, dass er seine Stellung schon verloren hat und somit nicht mehr mit dem Strom mitschwimmen muss. Er hat Abstand zu seinem bisherigen Leben gewonnen, muss aber immer wieder an Eva denken.

Der Lehrer hat Abstand zu seinem Leben gewonnen

Einer von fünf
(HL S. 79–82/ST S. 108–112)
Der unauffällige Schüler B kommt in die Wohnung des Lehrers und teilt ihm mit, dass der bei N gefundene Kompass T gehöre. Der habe den Kompass schon überall im Lager gesucht. Auch verdächtigt B den T, weil er immer alles wissen wolle, auch wie jemand stirbt.

Als der Lehrer fragt, warum B nicht bei den Aufmärschen mitmache, gesteht der ihm, dass er sich krank gemeldet habe, weil er

Auch Schüler B verdächtigt T

3.2   Inhaltsangabe

dem Lehrer seinen Verdacht habe mitteilen wollen und weil er die inhaltslosen Ansprachen und das Herummarschieren ablehne.

B erzählt dem Lehrer, dass er damals den Brief mit dem Ablösungswunsch der Klasse nur unter Druck unterschrieben habe, in Wirklichkeit aber die Ansichten des Lehrers über die Neger teile.

Der geheime Klub

B berichtet dem Lehrer, dass er und noch drei andere Schüler einen Klub gegründet hätten, in dem sie alles lesen würden, was verboten sei, und dann darüber reden würden. Inzwischen seien auch noch ein Bäckerlehrling und ein Laufbursche dazu gekommen.

Als der Lehrer fragt, warum B gerade zu ihm gekommen sei, sagt B, dass dadurch, dass der Lehrer die Sache mit dem Kästchen gestanden habe, er sich als der einzige Erwachsene gezeigt habe, der die Wahrheit liebe.

Der Klub greift ein
(HL S. 82–83/ST S. 112–115)

Als der Lehrer und B dem Untersuchungsrichter mitteilen wollen, dass der Kompass T gehöre, erfahren sie, dass die Sache sich bereits erledigt habe, da der Kompass dem Bürgermeister des Dorfes gehöre, dem er bereits vor langer Zeit, wohl von der Räuberbande, gestohlen worden sei.

Leitsatz „Für Wahrheit und Gerechtigkeit"

Vom Verteidiger erfahren sie, dass Eva wegen eines hysterischen Anfalls im Gefängniskrankenhaus liege. B bedauert das Mädchen und beschließt, ihm mit dem Klub, dessen Leitsatz „Für Wahrheit und Gerechtigkeit" heißt, zu helfen.

B und der Lehrer sind sich einig, dass T der Mörder sein müsse. Voller Tatendrang beschließt B, dass der Klub T von nun an Tag und Nacht beobachten werde und dem Lehrer jeden Tag Bericht erstatten wolle.

3.2 Inhaltsangabe

Auf dem Rückweg fragt der Lehrer B, ob er wirklich den Spitz-
namen Fisch habe. B klärt ihn auf, dass nur T ihn so nenne, alle
anderen würden ihn „Neger" nennen.

Zwei Briefe
(HL S. 84–85/ST S. 115–117)

Der Lehrer erhält einen Brief von seinen entsetzten Eltern, die sich
Sorgen um ihn und sich selbst machen. Er will ihnen zurückschrei-
ben, dass sie sich nicht sorgen sollen, weil Gott schon helfen werde,
aber er traut sich nicht, aus Angst, missverstanden zu werden.

Auch Julius Caesar verdächtigt T

Abends besucht der Lehrer die Bar, in der er Julius Caesar trifft.
Der zollt ihm Respekt für seine mutige Aussage. Auch Julius Caesar
hält T für den Mörder und bietet dem Lehrer seine Hilfe an.

Der Lehrer stellt fest, dass Julius Caesar von den Barbesuchern
häufig um Rat gefragt und ehrfürchtig begrüßt wird. Schließlich
entschließt sich der Lehrer, seinen Eltern doch zu schreiben, dass
Gott schon helfen werde.

Herbst
(HL S. 85–86/ST S. 117–118)

Der Lehrer erhält regelmäßig Berichte des Klubs, die aber nichts
Besonderes vermelden. Er muss immer an Eva denken und möchte
ihr gerne helfen. Er fragt sich auch, ob er in das Mädchen verliebt
sei.

Gedanken an Eva

Besuch
(HL S. 86–88/ST S. 118–120)

Der Lehrer erhält Besuch von dem Pfarrer des Dorfes, bei dem das
Zeltlager war.

Diesem fällt auf, dass der Lehrer viel heiterer aussieht. Wegen
der ehrlichen Aussage des Lehrers vor Gericht glaubt der Pfarrer,

Ein Jobangebot in Afrika

3.2 Inhaltsangabe

der Lehrer habe jetzt eine andere Einstellung zu Gott. Er fragt ihn,
ob er sich darüber klar wäre, dass er nie wieder an einer Schule des
Landes unterrichten könne, und bietet ihm die Stelle des Lehrers
an einer Missionsschule in Afrika an. Der Lehrer muss lachen, weil
er von seinen Schülern ja als „Neger" bezeichnet wird.

Er will die Stelle annehmen, wenn er Eva befreit hat. Als der
Lehrer dem Pfarrer von seinem Verdacht gegen T erzählt, rät der
ihm, mit der Mutter des Jungen zu sprechen.

Endstation
(HL S. 88–91/ST S. 121–125)

T's Familie wohnt in einer palastähnlichen Villa. Nur mit Mühe gelingt es dem Lehrer, den Diener zu bewegen, ihn bei seiner Herr-
schaft anzumelden. Im Haus begegnet der Lehrer einer berühmten
Filmschauspielerin, der „Freundin des Oberplebejers" (HL S. 89/ST
S. 122).

T's Zuhause

T's Mutter empfängt den Lehrer nicht, sie hat angeblich keine
Zeit. Statt ihrer erscheint T. Von ihm erfährt der Lehrer, dass seine
Eltern auch für ihn nie Zeit hätten. Der Lehrer glaubt, dass sie selbst
für Gott keine Zeit haben würden. Als die Augen T's plötzlich Glanz
bekommen, glaubt der Lehrer, es sei der Glanz des Entsetzens, weil
T ahne, dass er entlarvt sei.

Der Köder
(HL S. 91–93/ST S. 125–127)

Der Lehrer erhält einen weiteren Bericht des Klubs, in dem er berichtet, dass T nach einem Kinobesuch mit einer „Dame" (HL S. 91 f./ST
S. 125) in ihre Wohnung gegangen sei. Nach der Verabschiedung
habe die „Dame" hinter ihm eine Grimasse geschnitten und osten-
tativ (HL S. 92/ST S. 125) ausgespuckt.

3.2 Inhaltsangabe

Der Lehrer erkennt, dass die „Dame" eine Prostituierte war, und geht zu ihr, um zu erfahren, warum sie hinter T ausgespuckt habe. Die Prostituierte, Nelly, lässt sich ihre Aussage bezahlen und berichtet dem Lehrer, dass es mit T widerlich und ekelhaft gewesen sei, denn er habe während des Geschlechtsverkehrs gelacht, sodass sie ihm eine Ohrfeige gegeben habe.

Die Prostituierte Nelly

Sie werde aber trotzdem nochmals mit T schlafen, weil sie aus Dankbarkeit jemandem einen Gefallen erweisen wolle, der „einen Fisch fangen" (HL S. 93/ST S. 127) wolle.

Der Lehrer ist durch diese Aussage geschockt und fragt sich, wer noch den Fisch entlarven will.

Im Netz
(HL S. 93–95/ST S. 128–129)

Zu Hause wartet bereits Julius Caesar auf den Lehrer. Er teilt ihm mit, er habe den Fisch soweit, dass er heute Nacht am Köder anbeiße. Dann drängt er den Lehrer, mit in ein Animierlokal zu kommen, wo er ihm alles erklären wolle.

Auch Julius Caesar will T fangen

Julius Caesar sagt dem Lehrer, dass er ihm habe helfen wollen, den „Fisch" zu fangen, weil der Lehrer wegen Eva so traurig gewesen sei.

Der N
(HL S. 95–97/ST S. 129–132)

Im Animierlokal muss Julius Caesar feststellen, dass T nicht erschienen ist. Nelly hatte umsonst auf ihn gewartet. Julius Caesar erklärt dem Lehrer, dass er mit den Mädchen den Mord hätte „rekonstruieren" (HL S. 96/ST S. 131) wollen, indem sie T hätten betrunken machen wollen und ihm dann vorspielen wollten, er hätte Nelly wie den N erschlagen.

Julius Caesars Plan

Julius Caesar hatte sich erhofft, dass T sich dann verraten würde. Er wirft dem Lehrer vor, er denke nur an das Mädchen, nie an den toten N. Der Lehrer muss sich eingestehen, dass er N schon fast vergessen hat.

Das Gespenst
(HL S. 97–99/ST S. 133–135)

N erscheint als Gespenst im Traum

Der Lehrer geht nach Hause. Ihm geht der N nicht mehr aus dem Kopf. Nachts erscheint ihm N als Gespenst im Traum. N erinnert ihn daran, dass er mitschuldig an seinem Tod sei und dass er ihm seine Hilfe versagt habe. Eine Schuld könne aber nur durch eine andere Schuld getilgt werden.

N wirft dem Lehrer vor, dass er allmählich Mitleid mit T bekomme und den „Fisch" nicht wegen N, sondern nur wegen des Mädchens fangen wolle, an das er sich schon nicht mehr erinnern könne.

Der Lehrer muss sich eingestehen, dass er nicht mehr weiß, wie das Mädchen aussieht. N klärt den Lehrer darüber auf, dass die Augen, an die er immer denken muss, nicht die Augen des Mädchens, sondern andere Augen seien.

Das Reh
(HL S. 99–102/ST S. 136–139)

T hat sich erhängt

Mitten in der Nacht klingeln zwei Kriminalbeamte, die den Lehrer mitnehmen und zum Elternhaus von T fahren. Dort erfährt er, dass sich T erhängt hat. Man hat einen abgerissenen Zettel gefunden, auf den T geschrieben hatte, dass der Lehrer ihn in den Tod getrieben habe.

T's Mutter, eine schöne elegante Frau, sieht den Lehrer hasserfüllt an. Dabei fällt dem Lehrer auf, dass T's Mutter die gleichen Augen hat wie ihr Sohn.

3.2 Inhaltsangabe

Die anderen Augen
(HL S. 102–104/ST S. 139–142)

Der Lehrer erzählt den Anwesenden die ganze Geschichte. Danach fühlt er sich befreit. Als der Lehrer das geschlossene Sägewerk und die hungernden Kinder im Dorf erwähnt, bekommt T's Mutter einen hysterischen Anfall. Dabei verliert sie einen zusammengeknüllten Zettel, den unteren abgerissenen Teil der Nachricht T's. Auf dem Zettel steht die Begründung, warum der Lehrer T in den Tod getrieben habe: weil er wusste, dass T den N mit einem Stein erschlagen hat.

Der Lehrer glaubt plötzlich im Gesicht von T's Mutter die Augen Gottes zu sehen und ihm wird klar, dass Gott die Wahrheit ist. Die Mutter von T legt darauf vor der Polizei ein Geständnis ab.

Die Augen Gottes im Gesicht der Mutter

Über den Wassern
(HL S. 104/ST S. 142)

Es ist der letzte Tag vor der Abreise des Lehrers nach Afrika. Seine Eltern und der Klub haben ihm Abschiedsbriefe geschrieben. Der Lehrer hat Eva im Gefängnis besucht und erkannt, dass sie doch Diebesaugen hat. Der Pfarrer will sich nach ihrer Entlassung um sie kümmern. Z ist bereits wieder aus dem Gefängnis entlassen und die Staatsanwaltschaft hat das Verfahren gegen den Lehrer eingestellt.

Trotzdem fährt er nach Afrika. Er packt seine Koffer und ist bemüht, nichts zurückzulassen.

Abreise nach Afrika

3.3 Aufbau

ZUSAMMEN-
FASSUNG

→ metaphorische oder symbolische Bedeutung der Kapitelüberschriften
→ inhaltlich vier Handlungsabschnitte
→ Handlungsebene und Reflexionsebene

Die formale und inhaltliche Struktur

44 meist kurze Kapitel

Jugend ohne Gott besteht formal gesehen aus 44 zumeist recht kurzen Kapiteln (oft nur zwei bis vier Seiten), die alle „programmatisch klingende"[39] Überschriften haben. Diese Kapitelüberschriften sind mit dem Kapitelinhalt, vor allem aber mit dem Kapitelschluss durch Wortwiederholungen verbunden. Durch diesen wechselseitigen Bezug entsteht der Eindruck der Geschlossenheit.

Aufeinander folgende Kapitel sind zudem oft durch Formulierungen am Ende eines Kapitels, die am Anfang des nächsten Kapitels wiederholt werden, miteinander verbunden. So gelingt es Horváth, die selbstständigen Kapitel zu einer größeren Einheit zu verbinden.

Motivketten

Schließlich schafft Horváth ganze „Motivketten", indem er durch Überschriften, Zitate oder Motive innerhalb der Kapitel hin- und rückverweist. Die Kapitelüberschriften erhalten so

„über den konkreten Bezug hinaus auch metaphorische oder symbolische Bedeutung und bilden dadurch für den Leser einen Deutungshorizont bezüglich des Kapitelinhalts. Da die einzelnen

---

39 Schlemmer, S. 18.

3.3 Aufbau

Kapitel zusätzlich miteinander verknüpft sind, entsteht zugleich ein übergeordneter Sinn- und Interpretationszusammenhang."[40]

Inhaltlich lässt sich die Handlung des Romans in vier „Teile" aufgliedern, denen jeweils ein Handlungsort zugeordnet ist. In sich streben diese vier Handlungsabschnitte jeweils dramatisch auf einen **Handlungshöhepunkt** hin:

Vier „Teile"

1.	Kapitel 1–7	**In der Schule**	Hass und Misstrauen zwischen Lehrer und Klasse, gegenseitige Verachtung
2.	Kapitel 8–21	**Im Zeltlager**	Mord am Schüler N
3.	Kapitel 22–29	**Vor Gericht**	„Finden Gottes", „Geständnis" des Lehrers
4.	Kapitel 30–44	**Auf Mörderjagd**	Entlarvung des wirklichen Mörders von N

Die Erzählebenen und ihre Handlungsstrukturen

Mit dieser inhaltlichen Strukturierung wird man der Komplexität des Romans allerdings nicht gerecht. Man muss vielmehr zwei Textdarbietungs- oder Erzählebenen unterscheiden: Eine **Handlungsebene** und eine **Reflexionsebene**[41]. Beide Ebenen werden im Handlungsverlauf immer enger miteinander verknüpft. Oft werden Ereignisse auf der Handlungsebene zum Anstoß für Überlegungen auf der Reflexionsebene, aber auch für die „Darstellung" der seelischen Verfassung des Erzählers.

Zwei Textdar-
bietungs- und
Erzählebenen

Auf diesen beiden Erzählebenen verlaufen nun wieder verschiedene **Handlungsstrukturen.** Besonders drei Strukturen sind hier hervorzuheben:

---

40 Ebd., S. 40.
41 Vgl. ebd., S. 34.

3.3 Aufbau

1. die religiöse Struktur
2. die sozialkritische Struktur
3. die detektivische Struktur[42]

Lehrer als Bindeglied

Alle drei Handlungsstrukturen sind eng miteinander verknüpft und müssen im Zusammenhang gesehen werden. Das Bindeglied zwischen ihnen ist der Lehrer.

Religiöse Handlungsstruktur

Die religiöse Handlungsstruktur beinhaltet vor allem das Verhältnis des Lehrers zu Gott, seinen Wandel von der Gottesferne zur vorbehaltlosen Akzeptanz Gottes. Die religiöse Struktur ist vor allem auf der Reflexionsebene angesiedelt. Mit dem Wandel der Einstellung des Lehrers zu Gott geht auch eine Veränderung seines Verhältnisses zu seiner Umgebung einher.

Sozialkritische Handlungsstruktur

Daraus ergibt sich die Verbindung mit der sozialkritischen Handlungsstruktur, nicht nur in der Auseinandersetzung des Lehrers mit dem Zeitgeist, insbesondere seinen Auswirkungen auf die Jugend, sondern auch in der kritischen Sicht der Rolle der Kirche im Staat, besonders im totalitären Staat. Aber auch die Sozialkritik im engeren Sinn ist hier anzusiedeln, etwa in den sozialen und familiären Verhältnissen der Schüler oder in der Darstellung der Frau.

Detektivische Handlungsstruktur

Die Ursache des Verbrechens hängt wiederum mit den gesellschaftlichen Verhältnissen, aber auch mit dem neuen Zeitgeist zusammen. Zudem erhält der Lehrer aus seiner Auseinandersetzung mit Glaube und Gott einen wesentlichen Teil seiner Motivation für die Aufklärung des Verbrechens (detektivische Handlungsstruktur).

———

42 Vgl. Haslinger, S. 156 f., sowie Schlemmer, S. 35.

3.4 Personenkonstellation und Charakteristiken

Alle Figuren stehen zur Hauptperson, dem Lehrer, entweder in freundschaftlichem oder in distanziertem bis feindlichem Verhältnis.

Lehrer
→ vereinsamt
→ gottsuchend

Julius Caesar
→ psychologisierend
→ Außenseiter

Pfarrer
→ philosophierend
→ lebensbejahend

Direktor
→ inkonsequent
→ resigniert

Feldwebel
→ lebenserfahren
→ kritisch

Eltern des Lehrers
→ einfach
→ gottesferne Kirchgänger

3.4 Personenkonstellation und Charakteristiken

Schüler T
→ vernachlässigt
→ wissbegierig

Schüler N
→ unkritisch
→ inhuman

Schüler Z
→ vernachlässigt
→ naiv

Eva
→ hart
→ rücksichtslos

Dem Lehrer
nahestehende
Personen

Die zentrale Figur des Romans ist der Icherzähler, der Lehrer. Alle anderen Figuren stehen zu ihm in Beziehung. Dabei lassen sich zunächst zwei Gruppierungen herauslesen. Einmal die Personen, die zum Lehrer in freundschaftlichem Verhältnis (oder ihm doch zumindest nahe) stehen, zum anderen die Personen, die ihm Distanz bis Feindschaft entgegenbringen. Dabei vertreten die Personen, die der ersten Gruppe angehören, „die alte christlich-humanistisch geprägte Ordnung", während die Gegner des Lehrers „Vertreter der ‚neuen' nationalsozialistisch geprägten Ordnung"[43] sind. „Bei-

Gegner des
Lehrers

---

43 Vgl. Kranzbühler, S. 28 ff.

3.4 Personenkonstellation und Charakteristiken

de Lager sind einander feindlich gesinnt und befinden sich in einem Ablöseprozess des Alten durch das Neue."[44]

Dazwischen stehen die Figuren, die ein zwiespältiges Verhältnis zum Lehrer haben. Sie haben sich angepasst, stehen somit eigentlich auf der Seite der Gegner des Lehrers, bringen ihm aber Wohlwollen und Sympathie entgegen. Zu dieser Gruppe gehören die Eltern, der Feldwebel und der Direktor.

Die Unentschiedenen

Grafisch könnte man diese Beziehung so darstellen:

PERSONENKONSTELLATION

Gott
ist die Wahrheit

Eva

Pfarrer
bietet Lehrerstelle
in Afrika an
Julius Caesar
hilft bei Jagd nach T

Lehrer

Der Klub
„Für Wahrheit
und Gerechtigkeit"

Klasse
T „Doppelgänger"
(Mörder mit Fischaugen)
Z führt Tagebuch
N verkörpert die neue Generation
(regimegläubig)
Vater von N

Direktor
ordnet sich Zeitgeist unter

Eltern des Lehrers
Unverständnis für Sohn

Feldwebel
Systemvertreter ohne Überzeugung

Vertreter der alten Ordnung
(christlich-humanistisch)

Vertreter der neuen Ordnung
(nationalsozialistisch)

– – – – Triumvirat der Außenseiter

---

44 Schlemmer, S. 49.

3.4 Personenkonstellation und Charakteristiken

Lehrer

Die zentrale Gestalt des Romans ist der **Icherzähler**. Er ist zu Beginn des Romans gerade 34 Jahre alt geworden, arbeitet als **Lehrer** an einem städtischen Gymnasium und wohnt zur Untermiete.

Lehrer als Bindeglied

Der Lehrer ist mit seiner Situation sehr unzufrieden (vgl. u. a. HL S. 5, 31/ST S. 9, 44). Diese Unzufriedenheit liegt z. T. an seinem sozialen Umfeld. Er steht im Spannungsfeld von Mitmenschen, Schülern und Beruf.

Zu seinen Mitmenschen hat er kaum Kontakt. So hat er keine Freunde und Bekannten. Auch zu seinen Eltern hat er, wie der floskelhafte Geburtstagsbrief zeigt (vgl. HL S. 5/ST S. 9), keine engere emotionale Bindung. Julius Caesar und der Pfarrer sind Zufallsbekannte und bestenfalls Gesprächspartner. Oft hält es der Lehrer abends in seinem Zimmer nicht aus und „flieht" in Bars, um sich dort zu betrinken (vgl. HL S. 15 f./ST S. 23 ff.).

Vereinsamung

Auch sein Verhältnis zum anderen Geschlecht zeigt seine Vereinsamung. Das Mädchen, das sich in der Bar an seinen Tisch setzen will, weist er ab (vgl. HL S. 15/ST S. 23). Morgens erwacht er aber in einem fremden Bett, neben einer fremden Frau, an die er sich nicht mehr erinnern kann (vgl. HL S. 18/ST S. 27). Auch mit seiner wiederholten Behauptung „ich bin kein Heiliger" (u. a. HL S. 86/ST S. 117) will er nur seine **Kontaktarmut** und Vereinsamung kaschieren. Sein anfängliches „Verhältnis" zu dem Mädchen Eva, deren körperliche Vorzüge er direkt registriert (vgl. HL S. 26, 49 f./ST S. 38, 69 f.), und das Erwachen sinnlichen Verlangens beim Anblick ihres Körpers machen deutlich, „in welcher Einsamkeit und Kälte er selbst lebt und wie er sich nach Wärme und Zärtlichkeit sehnt."[45]

'is zu 'rn

Auch zu seinen Schülern hat der Lehrer kein gutes Verhältnis. Er benennt sie nicht mit ihren Namen, sondern mit den Anfangsbuch-

---

45 Bohlen/Zölle, S. 33.

3.4 Personenkonstellation und Charakteristiken

staben ihrer Nachnamen (vgl. u. a. HL S. 6, 7/ST S. 10, 12). Diese
Distanz wird von seinen Schülern gespürt und wiedergegeben. Das
Ergebnis ist, dass der Lehrer in seinem Beruf frustriert ist. Diese
Frustration versucht er mit **Zynismus** zu kompensieren (vgl. HL
S. 5 f./ST S. 9 f.). Er sieht in seinem Beruf keine Berufung mehr,
sondern nur noch Pflichterfüllung.

Ein Grund für diese berufliche Unzufriedenheit liegt auch darin,
dass der Lehrer zwischen den Generationen steht (vgl. HL S. 16 f./ST
S. 25 f.), zwischen der Vorkriegsgeneration seiner Eltern und der
Nachkriegsgeneration seiner Schüler. Von seinen Wertvorstellungen und Idealen her ist er der älteren Generation verbunden, zu der
er aber altersmäßig nicht mehr gehört. Die Nachkriegsgeneration
seiner Schüler, mit der er täglich konfrontiert wird, hat aber andere Wertvorstellungen. Hier stößt der Lehrer mit seinen Idealen auf
massive Ablehnung.

So gerät er bei den Schülern immer mehr in eine Außenseiterrolle. Verstärkt wird die ablehnende Haltung der Schüler auch
noch durch die **negativen Pauschalurteile**, die der Lehrer über sie
abgibt (vgl. u. a. HL S. 13 f./ST S. 20 f.), die arrogant und zynisch wir-
ken. Auch klingt eine gewisse Überheblichkeit des Lehrers seinen
Schülern gegenüber aus seiner Abwertung der Liebe des Schülers
Z zu Eva, die er als „Kinderei, elende Kinderei" (HL S. 46/ST S. 65)
abtut. (Vielleicht ist es aber auch nur Ausdruck des Neids auf Z,
weil er etwas erreicht hat, was der Lehrer insgeheim auch anstreb-
te.) Hier zeigt sich die **Inkonsequenz des Lehrers**, die sich auch
in seiner Stellung zum Staat erweist. Einerseits betrachtet er seine (ca. 14-jährigen) Schüler als Kinder, andererseits erwartet er
aber von ihnen, dass sie politische und gesellschaftliche Zusammenhänge durchschauen und der staatlichen Propaganda kritisch
gegenüberstehen sollen.

Außenseiterrolle

3.4 Personenkonstellation und Charakteristiken

Anpassung trotz Erkenntnis

Der Lehrer selbst durchschaut zwar diese Zusammenhänge, aber er zieht (zunächst) keine Konsequenzen daraus. Er leistet keinen Widerstand und passt sich an. Um seiner sicheren Stelle und Pension willen unterdrückt er seine wahre Meinung (vgl. u. a. HL S. 5/ST S. 9 f.). Die zynische Haltung des Lehrers mag so auch „seinem Schuldbewusstsein entspringen, die Gefahr des Totalitarismus zwar erkannt zu haben, jedoch nichts dagegen zu tun."[46] Allerdings gelingt es ihm nicht, seine humanitäre Haltung ganz zu unterdrücken (vgl. S. 7 f., 10/ST S. 13, 15).

Diese **Spannung zwischen innerer Ablehnung und äußerer Anpassung** ist auch ein Grund für die Krise, in der sich der Lehrer befindet.

Entwicklungsprozess

Der Lehrer macht aber, und darin unterscheidet er sich von allen anderen Romanfiguren, eine Entwicklung durch.

> „Seine Entwicklungsfähigkeit zeigt sich in verschiedenen Bereichen, doch die entscheidende Veränderung erfährt er in seiner Einstellung zu GottGott, entscheidend deshalb, weil sie die anderen Veränderungen nach sich zieht, sozusagen als Befreiungsschlag, die eine Art Kettenreaktion auslöst."[47]

Die Wandlung des Lehrers, die schließlich dazu führt, dass er ohne Angst vor den persönlichen Konsequenzen vor Gericht die Wahrheit sagt (vgl. HL S. 68 f./ST S. 94 ff.), geschieht jedoch nicht plötzlich, sondern es handelt sich um einen Entwicklungsprozess, der schon viel früher einsetzt und eng mit seiner Einstellung zu Gott verbunden ist.

---

46 Ebd., S. 18.
47 Schlemmer, S. 50.

3.4 Personenkonstellation und Charakteristiken

Zu Beginn des Romans nimmt der Lehrer zwar oft die Begriffe Gott und Bibel in den Mund und begründet damit sogar seine humanitäre Einstellung (vgl. u. a. HL S. 8, 10/ST S. 13, 16), aber er gibt doch zu, dass er nicht an Gott glaubt (vgl. HL S. 34/ST S. 49) bzw. nicht an ihn glauben will (vgl. HL S. 37/ST S. 53). Mit seinem freien Willen will der Lehrer Gott einen Strich durch die Rechnung machen (vgl. HL S. 48/ST S. 67) und das Schicksal selbst bestimmen. Der Mord am Schüler N lässt dieses überhebliche Vorhaben jedoch scheitern.

Einstellung zu Gott

Durch zwei Schlüsselerlebnisse sieht sich der Lehrer mit Gott konfrontiert, was schließlich zu seiner Wandlung von der Gottesferne zu Gottesnähe führt.

Zwei Schlüsselerlebnisse

Das erste Schlüsselerlebnis ist der **Mord an N**. Er wird vom Lehrer als Kommen Gottes gesehen (vgl. HL S. 54/ST S. 75). Allerdings weicht er hier der Gottesbegegnung noch aus. Er glaubt zwar inzwischen an Gott, aber er mag ihn nicht (vgl. HL S. 64/ST S. 89), für ihn ist Gott „kalt" (HL S. 64/ST S. 89) und „nicht gut" (HL S. 64/ST S. 89).

Die zweite Schlüsselszene ist das Gespräch mit dem Zigarettenverkäufer während der Prozesspause. Hier erfährt das Gottesbild des Lehrers einen entscheidenden Wandel. Er erfährt, dass Gottesferne zu Schuld führt, Gottesnähe hingegen zu Achtung und Liebe (vgl. HL S. 65/ST S. 90). Gott ist also nicht schrecklich, er ist aber die Wahrheit! Als der Lehrer das erkannt hat und danach handelt, verliert er seine Angst vor Gott (vgl. HL S. 104/ST S. 96). Er bekennt sich vor Gericht dazu, das Kästchen mit Z's Tagebuch aufgebrochen zu haben, und fühlt sich nun zum ersten Mal ruhig und „wunderbar leicht" (HL S. 102/ST S. 95). Der Lehrer besiegt seine Scham und seine Feigheit, seinen Opportunismus und seine Passivität und bekennt sich mutig, ohne Rücksicht auf die damit verbundenen Auswirkungen für seine berufliche Existenz, zur Wahrheit.

Gespräch mit Zigarettenverkäufer

3.4   Personenkonstellation und Charakteristiken

Positive
Konsequenzen

Dieses befreiende Handeln des Lehrers hat einmal positive Auswirkungen auf seine Mitmenschen: Eva sagt nun auch vor Gericht
die Wahrheit, und der Klub der systemkritischen Schüler offenbart
sich dem Lehrer und arbeitet mit ihm zusammen. Zum anderen
verändert das Bekenntnis zur Wahrheit aber auch den Lehrer selbst.
Er bricht aus seiner Passivität aus und wirkt aktiv bei der Entlarvung des wahren Mörders mit. Aber auch seine Einstellung zu Eva
wandelt sich, aus sexuellem Verlangen wird Nächstenliebe (vgl. HL
S. 86/ST S. 118), und er bekennt sich zu seiner Mitschuld am Tod
von N (vgl. HL S. 97 f./St S. 133 ff.).

Schließlich bekommt der Lehrer auch den gesellschaftlichen
Verhältnissen gegenüber **ein neues Wahrnehmungsvermögen**.
Die faschistische Gesellschaft erscheint ihm nun unbedeutend, ja
fast lächerlich (vgl. HL S. 78/ST S. 106), und er erkennt, welchen
Abstand er bereits zu ihr gewonnen hat.

Seine Annahme des Lehramtes an einer Missionsschule in Afrika
ist so eigentlich nur eine logische Konsequenz. Zum einen kann
er hier sein soziales Engagement einbringen (vgl. HL S. 87 f./ST
S. 120), zum anderen befindet der Lehrer sich jetzt in einer Art
„Schwebezustand":

Eine neue
Aufgabe

„Hinter ihm liegt die Vergangenheit, mit der er abgeschlossen
hat, das Vertraute, Bekannte, die Heimat, aber auch der Ort,
an dem es für ihn keine Zukunft gibt; vor ihm liegt das Neue,
Unbekannte, seine geistige Heimat (?), eine Aufgabe."[48]

Und diese Aufgabe kann er jetzt aktiv und frei übernehmen.

---

48   Bohlen/Zölle, S. 49.

3.4 Personenkonstellation und Charakteristiken

Julius Caesar

Mit dem Lehrer und dem Pfarrer bildet **Julius Caesar** ein „Triumvirat der Außenseiter"[49]. Er ist „eine gestrandete Existenz" (HL
S. 16/ST S. 24). Ursprünglich war er ein geachteter Altphilologe
(daher sein Spitzname) am Mädchenlyzeum, bis er ein Verhältnis
mit einer minderjährigen Schülerin hatte. Wegen dieser Affäre saß
er im Gefängnis und verlor seine Lehrerstelle. Er verdient sich jetzt
seinen Lebensunterhalt als Hausierer mit „allerhand Schund" (HL
S. 16/ST S. 24).

„Gestrandete
Existenz"

Er hat eine eigenwillige Art von Humor. So trägt er als Krawat-
tennadel einen „Miniaturtotenkopf" (HL S. 16/ST S. 24), dessen
Augenhöhlen auf Knopfdruck rot aufleuchten. „Das waren seine
Scherze" (HL S. 16/ST S. 24).

Julius Caesar hört sich gerne reden (vgl. HL S. 16 f./ST S. 25). Als
der Lehrer ihn zum ersten Mal in einer Bar trifft, entwirft er „eine
erotisch verengte Variation von Spenglers[50] Morphologie der Weltgeschichte, beruhend auf der Idee des Generationenwechsels"[51],
die den Lehrer veranlasst, ihn für einen „Erotomanen" (HL S. 17/ST
S. 25) zu halten. Daraufhin gibt Julius Caesar offen zu, die „ganze
Schöpfung aus einem geschlechtlichen Winkel heraus [zu] betrach-
ten" (HL S. 17/ST S. 26).

Auch wenn der Lehrer die geschlechtliche Weltsicht Julius Caesars ablehnt, so gibt ihm der weitere Verlauf der Handlung doch
z. T. Recht. Der Lehrer „entwickelt sich im Lauf des Romans immer
mehr zu einem zweiten Julius Caesar"[52], sei es in seiner Einstellung zu Frauen, der Gesellschaft oder auch in seinem Begehren der
minderjährigen Eva.

Geschlechtliche
Weltsicht

— — —

49 Schlemmer, S. 51.
50 Vgl. Oswald Spengler: *Der Untergang des Abendlandes*, sowie ders.: *Jahre der Entscheidung*.
51 Gros, S. 45.
52 Ebd.

3.4   Personenkonstellation und Charakteristiken

Allerdings verhindern sein „Gottfinden" und das Angebot des Pfarrers, als Lehrer nach Afrika zu gehen, dass er wie Julius Caesar endet.

Julius Caesars Plan

Nach dem Mord an N will Julius Caesar mithelfen, den wahren Mörder zu entlarven, und stellt ihm mit Hilfe der Prostituierten und Animiermädchen des anrüchigen Animierlokals „Lilie" eine Falle. Aber der Plan misslingt.

Als der Lehrer mit Julius Caesar in dessen Stammbar geht, muss er feststellen, dass Julius Caesar hier eine Menge „Verbindungen" hat. Zwar ist das Publikum „Unkraut" (HL S. 85/ST S. 116), aber Julius Caesar genießt hier hohes Ansehen, und viele holen sich Rat bei ihm: „Denn er ist ein wissender und weiser Mann." (HL S. 85/ST S. 116)

Julius Caesar erkennt auch, dass die neue Zeit eine „kalte Zeit" wird, und nennt sie das „Zeitalter der Fische" (HL S. 18/ST S. 27), in der „die Seele des Menschen unbeweglich wie das Antlitz eines Fisches" (HL S. 18/ST S. 27) wird. Julius Caesar hat bei seinen Ausführungen „den deutlichen Hang zum Psychologisieren"[53]. Dabei

Anlehnung an Sigmund Freud

ist eine deutliche Anlehnung an Sigmund Freud zu erkennen.

Julius Caesar ist zudem wie der Lehrer und der Pfarrer ein „Zitatenträger der alten Welt"[54], die aber langsam vom neuen Zeitgeist verdrängt wird.

Der Pfarrer

ist ein „runde[r] freundliche[r] Herr" (HL S. 22/ST S. 32), dessen Wein „nach Sonne" und dessen Kuchen „nach Weihrauch" schmeckt (HL S. 31/ST S. 44).

---

53 Vgl. Schlemmer, S. 52.
54 Kranzbühler, S. 29 ff.

3.4   Personenkonstellation und Charakteristiken

Nach Piero Oellers ist er von allen 13 religiösen Männerfiguren in Horváths Werk der Einzige, der von Horváths „Negativsicht ausgenommen"[55] ist.

Ausnahme in Horváths Werk

Er ist wegen eines nicht näher definierten Vergehens in das Dorf strafversetzt worden und hat diese Sanktion bei der letzten Begegnung mit dem Lehrer hinter sich. Er trägt jetzt Zivil (vgl. HL S. 86/ST S. 118).

Bei seinem ersten Besuch empfindet der Lehrer den Pfarrer als „verteufelt gescheit" (HL S. 33/ST S. 47) und kann seiner Argumentation kaum etwas entgegenhalten. Auch scheint der Pfarrer „eine Persönlichkeit mit Ausstrahlung zu sein"[56], denn der Lehrer fühlt sich in seiner Gegenwart recht befangen (vgl. HL S. 31 ff./ST S. 44 ff.).

Besonders in der Philosophie kennt sich der Pfarrer recht gut aus, und so argumentiert er genauso geschickt mit dem antiken Philosophen Anaximander wie mit dem neueren Philosophen Blaise Pascal. Er greift aber auch auf die Staatslehre des Aristoteles und auf den Apostel Paulus zurück, um den Staat als etwas der menschlichen Natur Gemäßes und somit als gottgewollt zu legitimieren. Der Staat als solches ist daher für den Pfarrer an sich gut, aber die staatliche Ordnung als Produkt der Menschen kann auch schlecht sein. Er lässt auch keinen Zweifel daran, dass er die momentane staatliche Ordnung als schlecht empfindet, da in ihr der Platz für den Glauben fehlt.

Philosophische Kenntnisse

Im Streitgespräch über den **Ursprung der Erbsünde** und damit der Funktion Gottes als strafenden Gott belegt der Pfarrer dem Geschichtslehrer anhand der antiken Philosophie, dass der Gedanke der Erbsünde schon vorchristlichem Denken entsprang.

---

55   Oellers, ,S. 123.
56   Schlemmer, S. 69.

3.4   Personenkonstellation und Charakteristiken

Der Pfarrer ist zwar der einzige offizielle kirchliche Vertreter im Roman, aber er ist strafversetzt, und so zeigen seine Äußerungen über den gegenwärtigen Zustand der Kirche und besonders über deren Verhältnis zur Macht seine **kritische Einstellung**.

Lebensbejahung als Grund-einstellung

Die lebensbejahende Grundeinstellung des Pfarrers, sie zeigt sich besonders an seiner Geselligkeit, seiner Gesprächigkeit und seiner Genussfähigkeit, steht im Gegensatz zur Lebenseinstellung des Lehrers. Trotzdem ist es der Pfarrer, der dem Lehrer am Ende des Romans, nachdem er ihn auf seine „Tauglichkeit" geprüft hat, die Stelle des Lehrers in einer Mission in Afrika anbietet und ihn damit wohl davor bewahrt, wie ein zweiter Julius Caesar zu enden.

Der Direktor

des Gymnasiums, an dem der Lehrer arbeitet, ist ein „schöner alter Mann" (HL S. 11/ST S. 17), der noch die „schöne Vorkriegszeit" (HL S. 11/ST S. 18) miterlebt hat. Er teilt im Grunde genommen die humanistischen Ansichten des Lehrers und hat noch vor wenigen Jahren „flammende Friedensbotschaften" (HL S. 11/ST S. 17) unterschrieben.

Überzeugungen dem Zeitgeist untergeordnet

Inzwischen aber hat der Direktor den Zeitgeist erkannt. Die Zeit, in der er jetzt lebt, hat keinen Sinn für das Streben „zu höheren Ufern der Menschheit" (HL S. 11/ST S. 18). Da der Direktor so kurz vor seiner Pensionierung seine Stellung nicht verlieren will, hat er seine Überzeugungen dem Zeitgeist untergeordnet.

Er greift im Gespräch mit dem Lehrer, der ja Geschichte unterrichtet, auf Beispiele aus dem antiken Rom zurück, um seine Einstellung zu belegen. Für ihn ist, und damit lehnt er sich an Spenglers *Untergang des Abendlandes*[57] an, der Begriff „Plebejer" (HL S. 11/ST S. 18) negativ konnotiert. Ähnlich wie Spengler skizziert

---

57   Spengler, *Der Untergang des Abendlandes*, S. 453 ff.

3.4   Personenkonstellation und Charakteristiken

der Direktor anschließend am Beispiel des Ständekampfs im alten Rom seine Auffassung von der „zwangsläufigen Entwicklung des Staates vom Stände- über den Parteienstaat hin zum von der Privat-Politik weniger Rassemenschen geprägten Gemeinwesen."[58]

Der Direktor teilt auch offensichtlich die Ansicht Spenglers, „dass er in einer dekadenten Übergangszeit lebe, in der die Welt vom Geld regiert werde."[59] Mit dieser historischen Analogie kann er seine Vorbehalte gegenüber dem herrschenden System sowie seine Übereinstimmung mit den Ansichten des Lehrers darlegen, ohne das System ausdrücklich kritisieren und angreifen zu müssen. Der Lehrer als „Geschichtsprofessor'" (HL S. 12/ST S. 18) versteht die verschlüsselten Ausführungen des Direktors und nimmt sich auch dessen Warnung zu Herzen. Er macht sich die Ansichten des Direktors zu eigen, bis er von Gott in der Prozesspause im Zigarettengeschäft eingeholt wird.

Zitiert Thesen Oswald Spenglers

Der Feldwebel

Auch der alte **Feldwebel**, der die Jungen im Zeltlager „ausbildet", ist ein Vertreter des neuen Systems geworden. Nach Einschätzung des Lehrers ist er „kein unrechter Mensch" (HL S. 23/ST S. 34). Er ist 63 Jahre alt und war schon im letzten Weltkrieg beim Landsturm. Zum Erstaunen des Lehrers erzählt der Feldwebel aber nicht vom Krieg. Er hat drei erwachsene Söhne und weiß, was Krieg bedeutet (vgl. HL S. 29/ST S. 41).

Kriegsveteran

Trotzdem bereitet der Feldwebel die Schüler spielerisch auf den Krieg vor (vgl. u. a. HL S. 41, 43/ST S. 58, 60 f.) und erfüllt damit die Vorgaben der Regierung. Er hat gelernt, in ungewöhnlichen Situationen seine eigenen Bedürfnisse zu unterdrücken (vgl. u. a.

---

58   Gros, S. 42.
59   Ebd., S. 43.

3.4 Personenkonstellation und Charakteristiken

HL S. 29/ST S. 41 f.), aber er ist den Anstrengungen (der neuen Zeit) nicht mehr gewachsen. Die Jungen laufen schneller als er, und Z bezeichnet ihn als „alter Tepp" (HL S. 43/ST S. 60), der nicht merke, wenn die Jungen ihn auslachen.

Keine Freude mehr am Kriegsspiel

Auch äußerlich verändert sich der Feldwebel. Während den Jungen das (Kriegs-)Spiel Spaß macht, altert der Feldwebel von Tag zu Tag. Er hat keine Freude am Kriegsspiel mehr und wäre am liebsten zu Hause (vgl. HL S. 35/ST S. 50).

In dem Zeitungsinterview nach dem Mord gibt sich der Feldwebel zwar vordergründig als alter Soldat, der als Ursprung des Mordes „eine(n) Mangel an Disziplin" (HL S. 57/ST S. 79) angibt, aber sein letzter Satz, „als alter Soldat bin ich für den Frieden" (HL S. 57/ST S. 79), zeigt, wie schon in seinem Gespräch mit dem Lehrer, dass er (vielleicht ohne dass es ihm bewusst ist) gegen die Erziehung des momentanen Systems spricht. Als alter Soldat kennt er die Grausamkeiten des Krieges und muss folglich dagegen sein. Diese Einstellung zeigt aber auch, dass die Beurteilung des Lehrers wohl stimmt. Der Feldwebel ist zwar ein alter Haudegen, aber er ist ein Mensch!

Die Eltern des Lehrers

Einfache Leute

Der Vater des Erzählers ist ein pensionierter Werkmeister. Er und seine Frau werden von ihrem Sohn finanziell unterstützt. Das Verhältnis zu dem Sohn ist nicht besonders innig. Zwar schicken sie ihm zum Geburtstag Glückwünsche, aber die sind nur floskelhaft und oberflächlich–nichtssagend (vgl. HL S. 5/ST S. 9).

Ihre Weihnachtsgeschenke (ein geschmackloser Morgenmantel, vgl. HL S. 79/ST S. 108) und das Bild des Gekreuzigten, das bei seinen Eltern zu Hause hängt, zeigen sie als einfache Leute (Plebejer?). Ihre Reaktion auf das Geständnis ihres Sohnes und seine Suspendierung zeigt auch ihren Egoismus. Sie sind entsetzt, dass

3.4 Personenkonstellation und Charakteristiken

er seinen Beruf verloren hat und sie nun nicht mehr unterstützen kann. Sie fragen ihn, ob er dabei auch an sie gedacht habe, nur seine Mutter denkt dabei auch an ihn (vgl. HL S. 84/ST S. 115). Aber die Eltern verstehen die Motive des Sohnes nicht.

Die Eltern haben zwar ein „frommes Bild" (HL S. 30/ST S. 43) an der Wand hängen und gehen jeden Sonntag in die Kirche, aber Gott wohnt nicht bei ihnen (vgl. HL S. 84/ST S. 115). Wie gottesfern sie sind, wird dem Lehrer richtig bewusst, als er das liebende Verhalten des alten Ehepaares in dem Zigarettenladen beobachtet (vgl. HL S. 65/ST S. 89). Die Aussage des alten Zigarettenverkäufers zum Prozess, dass alle schuldig seien, weil auch die Eltern sich nicht um Gott kümmern würden (vgl. HL S. 65/ST S. 90), trifft auch auf den Lehrer zu (auch wenn er dieses Wissen verdrängt hat): Die Eltern haben sich in seiner Kindheit ständig gestritten, Gott wohnte nicht bei ihnen zu Hause (vgl. HL S. 66/ST S. 91). Es war nur logisch, dass der Lehrer als Kind im Krieg seinen Glauben an Gott verloren hat.

Gottesferne Kirchgänger

Als der Lehrer schließlich am Ende des Romans die Stelle in Afrika antritt, sind seine Eltern froh, dass er wieder eine Stelle hat, und bedauern, dass er so weit weg muss, obwohl sie ihren Sohn, als er noch in der Stadt lebte, nie besucht haben.

Die Schüler

Von den Schülern aus der Klasse des Lehrers werden hier nur die Schüler N, Z und T näher beschrieben, weil sie (neben B) als einzige Schüler aus dem anonymen Klassenverband hervortreten. Zudem sind die drei Schüler von besonderer Bedeutung für die Roman-handlung.

T ist ein stiller und unauffälliger Schüler. Im Klassenverband geht er eher unter. Sein Vater leitet einen Konzern und ist so gut wie nie

Der Schüler T

zu Hause. Seine Mutter führt ein großes palastähnliches Haus und ist von ihren privaten und gesellschaftlichen Verpflichtungen so in Anspruch genommen, dass sie nie Zeit für T hat. „Sie denkt nur an sich" (HL S. 90/ST S. 124). Auch für den Lehrer ihres Sohnes hat sie keine Zeit.

T ist zurückhaltend und höflich, aber auch emotionslos.

Kalte Fischaugen

Der Lehrer hebt bei seiner Beschreibung stets seine „helle(n) runde(n) Augen" hervor, die „ohne Schimmer, ohne Glanz" (S. 21/ST S. 31) sind, kalte beobachtende Fischaugen. „Fisch" (vgl. HL S. 73/ST S. 100 u. a.) wird folglich auch das Synonym, das sowohl der Lehrer wie auch Julius Caesar für ihn gebrauchen. T selbst ist dieser „Fischblick" nicht bewusst. Er glaubt, dass er, wie seine Mutter behauptet, „Rehaugen" (HL S. 76/ST S. 105) habe.

T ist „entsetzlich wißbegierig", deshalb spioniert er überall herum (vgl. HL S. 76/ST S. 104) und beobachtet alles (vgl. HL S. 93/ST S. 127). Besonders scheinen ihn aber Geburt, Liebe (genauer: Sexualität) und Tod zu interessieren (vgl. HL S. 80, 93/ST S. 110, 127). Aber nie ist er emotional beteiligt, er beobachtet nur.

Als der Lehrer erkannt hat, dass T der Mörder von N ist (weil der dümmer war und T gerne einmal jemanden sterben sehen wollte, HL S. 80/ST S. 109 f.), wird er in der Kriminalebene zum direkten Gegenspieler des Lehrers.

Auf der inneren Handlungsebene, im „Gespenstertraum" des Lehrers, wird T allerdings zum Teil des Lehrers, „gewissermaßen (zu) dessen böse(n) Ich-Teilen."[60] Henker und Mörder „verschmelzen ... zu einem Wesen" (HL S. 98/ST S. 134).

Als sich T immer mehr eingekreist sieht und seine Entlarvung als Mörder bevorsteht, erhängt er sich.

---

60 Schlemmer, S. 53.

3.4 Personenkonstellation und Charakteristiken

Der Schüler **N** verkörpert die „neue Generation der Jugendlichen, die ganz der Ideologie des neuen Regimes hörig ist."[61] N übernimmt unkritisch die Propagandasprüche des Regimes. So ist er auch von der Überlegenheit der weißen Rasse überzeugt und verachtet scheinbar Unterlegene, wie etwa Neger (vgl. HL S. 9/ST S. 14 f.). Daher lehnt er die humanitäre Auffassung des Lehrers ab. Der Lehrer glaubt sogar zu spüren, dass N ihn hasst (vgl. HL S. 21/ST S. 31). Aber auch jegliches selbstständige Denken ist N verhasst, so etwa auch die Selbstreflexion Z's in seinem Tagebuch.

In der Menge fühlt sich N sicher, allein wirkt er eher ängstlich und bittet gegen Z sogar den Lehrer um Hilfe (vgl. HL S. 47/ST S. 66). Er unterwirft sich daher leicht Autoritätspersonen, etwa seinem Vater, in dessen Auftrag er den Lehrer bespitzelt.

N ist aber auch zweifaches Opfer: Einmal wird er in der Kriminalhandlung als unschuldiges Opfer ermordet, zum anderen ist er aber auch Opfer der neuen Ideologie.

Z ist ein unauffälliger Schüler, bis zu dem Geschehen um sein Tagebuch tritt er nicht in Erscheinung. Er ist der Sohn eines Universitätsprofessors, der aber schon verstorben ist, und lebt bei seiner Mutter, zu der er aber kein gutes Verhältnis hat. Er fühlt sich von seiner Mutter vernachlässigt und wirft ihr ihre harte und ungerechte Behandlung der Dienstmädchen vor.

Z neigt zu Jähzorn, was sich besonders bei Gericht im Streit mit seiner Mutter zeigt (vgl. HL S. 66 ff./ST S. 92 ff.), aber auch bei seiner ersten Begegnung mit Eva (HL S. 44/ST S. 62) und seinem Streit mit N (vgl. HL S. 47/ST S. 66).

Der Schüler N

Autoritätsgläubig

Der Schüler Z

---

61 Ebd.

Z denkt über sich nach und führt ein Tagebuch. In seinen Tagebucheinträgen wird auch deutlich, dass Z sich einen inneren Freiraum bewahrt hat.

Denkt über sich nach und führt Tagebuch

Er verliebt sich in das Mädchen Eva und ist sogar bereit, aus Liebe den Mord an N auf sich zu nehmen, da er Eva für die Mörderin hält. Z hält Eva nicht für verkommen, sondern nur für das Opfer unglücklicher Umstände, wie er sie auch bei dem Dienstmädchen seiner Eltern, Thekla, selbst miterlebt hat (vgl. HL S. 67 f./ST S. 93 f.). Umso enttäuschter ist Z, als er erfahren muss, dass Eva ihn nie geliebt hat.

Im Unterschied zu seinen Mitschülern hat Z schon früh Erfahrungen mit dem Tod und der Liebe gemacht (vgl. HL S. 44/ST S. 62), hat aber noch eine recht naive Vorstellung über seine Zukunft (vgl. HL S. 61/ST S. 84 f.).

Die Mädchenklasse

Als der Lehrer mit seiner Klasse im Zeltlager ist, kommt auch eine Mädchenklasse mit ihrer Lehrerin vorbei, die in der Nähe untergebracht ist. Die Mädchen müssen wie die Jungen mit schweren Rucksäcken marschieren und Soldatenlieder singen (vgl. HL S. 25/ST S. 36).

„Verschwitzt, verschmutzt und ungepflegt" (HL S. 25/ST S. 37) bieten sie keinen „erfreulichen" Anblick (HL S. 25/ST S. 37) und erscheinen dem Lehrer alles andere als begehrenswert. Ihre Lehrerin erklärt dem Lehrer ganz im Sinne des Regimes, dass die Mädchen auf Äußerlichkeiten keinen Wert legten, sondern dass für sie nur „das Leistungsprinzip" (HL S. 25/ST S. 37) gelte, sie seien „Amazonen" (HL S. 25/ST S. 37).

„Amazonen"

Die Lehrerin lobt das Geländespiel der Mädchen („Verschollenen-Flieger-Suchen") als gute Vorbereitung für den Fall eines Krieges und bedauert, dass Frauen nicht an die Front kommen.

3.4   Personenkonstellation und Charakteristiken

Die Mädchen starren den Lehrer „wie Kühe auf der Weide" (HL S. 25/ST S. 36) an, und genau wie diese Tiere werden sie auch behandelt: „Lauter mißleitete Töchter der Eva" (HL S. 25/ST S. 37), die durch das Marschieren immer unattraktiver werden und nur noch als „Mütter der Zukunft" (HL S. 26/ST S. 37) für das Regime von Interesse sind.

Die Mädchen sind Opfer der Männergesellschaft und deren Gesetzen unterworfen. „Die [ihnen] ... zugewiesene Mutterrolle und die damit verbundene Beschränkung auf den häuslichen Bereich verstärkt ihre Abhängigkeit und Unterdrückung noch."[62]

Opfer der Männergesellschaft

Anni, eins der Mädchen aus der Klasse der Lehrerin, erkennt diese Situation der Frau gut, indem sie ihre Mutter zitiert: „Was sollen wir armen Mädchen tun? ... Die Männer sind verrückt geworden und machen die Gesetze" (HL S. 28/ST S. 41). Anni und ihre Freundin lehnen militärische Geländespiele ab, sie wollen als Frauen leben (vgl. HL S. 28/ST S. 41) und nicht nach den Gesetzen der Männer, aber sie haben keine Chance.

Der Klub

besteht aus 6 Jugendlichen, 4 sind Schüler aus der Klasse des Lehrers. Später kommen noch ein Bäckerlehrling und ein Laufbursche hinzu. Der Klub wird durch den Schüler **B** repräsentiert. Er ist von den 5 Schülern der Klasse, deren Nachname mit B beginnt, der Unauffälligste.

Der Schüler B

Zur Gründung des Klubs sind die Schüler durch die Aussage des Lehrers über die Neger veranlasst worden. Sie halten seine humanitäre Auffassung für richtig und empfinden die „faden Ansprachen" auf den offiziellen Umzügen als „lauter Blödsinn" (HL S. 80/ST S. 110). So hat sich der Schüler B am „Geburtstag des

---

62   Ebd., S. 64.

3.4   Personenkonstellation und Charakteristiken

Oberplebejers" (HL S. 77/ST S. 106) krankgemeldet, um nicht an
den Umzügen teilnehmen zu müssen.

Der Wahlspruch des Klubs lautet „Für Wahrheit und Gerechtigkeit" (HL S. 85/ST S. 114), und dafür treten sie auch ein. Sie lesen
„alles, was verboten ist" (HL S. 81/ST S. 111), um so die Wahrheit,
die ihnen die Propaganda des Regimes verweigert, kennen zu lernen. Sie spotten aber nicht über das Gelesene, wie es Julius Caesar
den Jugendlichen vorwirft, sondern besprechen alles, was sie gelesen haben, und dann „reden (sie) ... halt, wie es sein sollte auf der
Welt" (HL S. 81/ST S. 111). Auch hierin gleichen sie dem Lehrer.

Der Klub ist auch bereit, seinen Wahlspruch in die Praxis umzusetzen und zu handeln. So geht B mit ihrem Verdacht, dass T der
Mörder von N sei, zum Lehrer. Durch seine humanitäre Auffassung
und sein ehrliches Geständnis vor Gericht hat sich der Lehrer für
den Klub legitimiert, als „einzige(r) Erwachsener ..., den (sie) ...
kennen, der die Wahrheit liebt" (HL S. 82/ST S. 112).

Im Verlauf der Kriminalhandlung observiert der Klub den Schüler
T und hilft so bei dessen Entlarvung mit. B ist zudem der Einzige
außer dem Lehrer, der Mitleid mit Eva hat (vgl. HL S. 82/ST S. 113).

Der Vater des Schülers N
ist ein wohlhabender Bäckermeister und vertritt die reichen Plebejer, von denen der Schuldirektor in seiner „Zeitanalyse" spricht
(vgl. HL S. 11/ST S. 18). Er ist ein Vertreter des Bürgertums, der voll
hinter der Ideologie des Staates steht, und betet dessen Phrasen
bei jeder Gelegenheit voller Überzeugung nach. Außerdem flicht
er in seinen Reden häufig lateinische oder literarische Zitate ein,
um seine (überlegene) Bildung zu dokumentieren.

Gegenüber dem Lehrer (und der gesamten Lehrerschaft, HL
S. 57/ST S. 80) ist er feindlich eingestellt, weil er durch ihn die
kriegsbetonenden Ziele des Staates unterminiert sieht. Für ihn ist

3.4 Personenkonstellation und Charakteristiken

der Lehrer daher ein getarnter „Staatsfeind" (HL S. 57/ST S. 80),
der vernichtet werden muss.

Der Bäckermeister ist absolut humorlos. Als der Lehrer sein Ge-   Ideologiehörig
ständnis vor Gericht macht, erleidet der Bäckermeister einen Herzanfall.

Eva

ist ein ca. 15- bis 16-jähriges großes schlankes Mädchen. Sie war
schon mit 12 Jahren Waise und kam als „Haustochter" (HL S. 45/ST
S. 64) in eine Familie, in der sie den Nachstellungen des Hausherrn,
aber auch den Schlägen seiner Frau ausgesetzt war (vgl. HL S. 45/ST
S. 64). Als sie Geld stahl, um aus dieser Situation ausbrechen zu
können, wurde sie erwischt und landete im Erziehungsheim. Hier
rückte sie aus und lebt fortan mit zwei Jungen aus der Heimarbei-
tersiedlung, die ihrer Armut entfliehen wollten, als „Räuberbande"
in Höhlen. Die Bande ernährt sich von Überfällen und Diebstählen.
Eva ist die Anführerin.

Die bitteren Erfahrungen ihrer Kindheit und Jugendzeit haben   Hart und
Eva hart und rücksichtslos werden lassen. Brutal überfällt und be-   rücksichtslos
raubt sie die blinde Bäuerin, und auch bei der ersten Begegnung
mit Z wirft sie mit einem Stein nach ihm (vgl. HL S. 26 f., 44/ST
S. 39, 61).

Ohne Skrupel setzt Eva ihre sexuellen Reize gegenüber Z ein,
um ihn vom Wachdienst abzulenken und so den Diebstahl im Lager
zu erleichtern. Allerdings tut sie das auch, um etwas Geborgenheit
und „Glück" zu haben (vgl. HL S. 45/ST S. 63).

Von den Erwachsenen wird Eva als „Unkraut" (HL S. 27/ST S. 39)   „Verkommenes
und „verkommenes Luder" (HL S. 67/ST S. 93) bezeichnet. Eva ist   Luder"?
aber auch eine der wenigen Figuren des Romans, die sich durch
das Geständnis des Lehrers vor Gericht dazu veranlasst sieht, „jetzt
genauso die Wahrheit [zu] sagen wie der Herr Lehrer" (HL S. 70/ST
S. 97).

3.5 Sachliche und sprachliche Erläuterungen

HL S. 5/ ST S. 9	**Hausfrau**	(österr./bayr.) Vermieterin, Zimmerwirtin
HL S. 7/ ST S. 12	**Half**	Mittelfeldspieler (beim Fußball)
HL u. a. S. 9, 11/ ST S. 14, 18	**Plebejer**	im alten Rom die Masse der unprivilegierten Bürger; hier: (negativ) die (ungebildete) Masse der Bevölkerung *reiche Plebejer*: im antiken Rom die Plebejer, die aufgrund ihres Reichtums an Schaltstellen der Macht gelangt waren; hier: reiche Aufsteiger, im übertragenen Sinn aber auch die Nationalsozialisten bzw. die Anhänger des neuen Zeitgeistes
HL S. 10/ ST S. 17	**Bei Philippi sehen wir uns wieder**	an ein Zitat aus William Shakespeares Drama *Julius Caesar* angelehnter Ausspruch, der ausdrücken will, dass die entscheidende Auseinandersetzung noch bevorsteht; bei Philippi besiegten Octavian und Marc Anton 42 v. Chr. die republikanischen Caesarmörder Cassius und Brutus.
HL S. 17/ ST S. 25	**Erotomane**	jemand, der ein übersteigertes Interesse an sexuellen Dingen hat, eros = (griech.) Liebe, mania = (lat.) Wahnsinn.
HL S. 32 / ST S. 46	**Pascal**	Blaise Pascal (1623–1662), frz. Philosoph, Mathematiker und Physiker, in seinem Buch *Pensées* legt er in Gesprächen, Aphorismen und Dialogen Glaubenserfahrungen dar, gilt als der wichtigste religiöse Denker des neuzeitlichen Frankreichs.
HL S. 34/ ST S. 49	**Thales von Milet**	griech. Philosoph, Astronom und Mathematiker (625–ca. 545 v. Chr.), einer der sieben Weisen, gilt als der Begründer der Philosophie, da seine Erklärungen der Weltentstehung nicht mehr mythologisch ausgerichtet waren, sondern sich auf rationale Erklärungen stützten.

3.5   Sachliche und sprachliche Erläuterungen

HL S. 34/ ST S. 49	**Anaximander**	griech. Naturphilosoph (610–546 v. Chr.), Schüler und Nachfolger des Thales, Verfas- ser des ersten philosophischen Werkes des Abendlandes
HL S. 68/ ST S. 93	**Sekkieren**	quälen, schikanieren
HL S. 77/ ST S. 106	**Geburtstag des Ober- plebejers**	nach Wera Liessem, der Freundin Horváths, sprach Horváth von Hitler nur als „Oberplebe- jer", der Geburtstag Hitlers am 20. 4. wurde seit 1933 in ganz Deutschland als nationaler Feiertag begangen.
HL S. 85/ ST S. 116	**Ave Caesar, morituri te salutant**	(lat.) „Sei gegrüßt Kaiser, die Todgeweihten grüßen dich!", nach dem röm. Schriftsteller Sueton (70–54 v. Chr.) Begrüßungsworte der Gladiatoren an den Kaiser vor den Kämpfen
HL S. 88/ ST S. 121	**Pedell**	(österr.) Hausmeister einer Schule oder Hoch- schule

3.6 Stil und Sprache

→ Form und Sprache erinnern an Drama
→ Perspektiverweiterung der subjektiven Ich-Erzähler-sicht
→ bewusste Sprachverwendung

In dem Roman *Jugend ohne Gott* tritt die Hauptfigur, der Lehrer, als „personaler und persönlicher Icherzähler"[63] auf, der aber nicht nur berichtendes und beobachtendes Ich, sondern auch erlebendes Ich ist.

Subjektive Perspektive des Lehrers

Das ganze Geschehen wird vom Icherzähler vermittelt und so eingeengt und gefiltert aus der subjektiven Perspektive des Lehrers wiedergegeben. Um aber eine Perspektiverweiterung zu erhalten, flicht Horváth in die Darstellung des Lehrers Dialoge und die Tage-buchaufzeichnungen des Schülers Z ein.

Sprachlich scheint der Roman auf den ersten Blick recht einfach zu sein. Bei genauerem Hinsehen erkennt man jedoch schnell, dass Horváth hier „poetische Prosa mit sehr bewusster Sprachverwen-dung und minutiös geplanter Textorganisation"[64] schreibt.

Herkunft vom Theater

Aber auch Horváths Herkunft vom Theater ist nicht zu verleug-nen. So erinnern seine kurzen Kapitel stark an Szenen eines Theater-stücks und auch die häufig benutzte monologische bzw. dialogische Form erinnert eher an ein Drama.

---

63 Streets, Angelika: *Erzähler und Erzählsituation bei Ödön von Horváth* (zitiert nach Schlemmer, S. 41).
64 Garbe, S. 113.

3.6 Stil und Sprache

Die verschiedenen Sprach- und Stilmittel, die Horváth in seinem
Roman verwendet, werden im Folgenden in Auswahl kurz dargestellt:[65]

SPRACHLICHE MITTEL/STIL	ERKLÄRUNG	TEXTBELEG
Wechsel vom Präteritum ins Präsens	oft Perspektivenwechsel vom erlebenden und berichtenden zum reflektierenden Ich, z. T. Selbstdistanzierung vom Berichteten	HL S. 7, 15 u. a./ ST S. 12, 23 u. a.
Abkürzungen	z. T. Ironisierung NS-sprachlicher Abkürzungen, zeigt aber auch die Distanz des Lehrers zu seinen Schülern	HL S. 6, 7, 47 u. a./ ST S. 10, 12, 66 f., 79 u. a.
Gebrauch der NS-Sprache	zeigt den Einfluss der staatlichen Propaganda auf das Denken und Sprechen der Menschen (bes. bei N und seinem Vater), der souveräne Gebrauch durch den Lehrer im Zeitungsinterview verdeutlicht die zwiespältige Situation eines Menschen im faschistischen Staat, der seine innere Haltung nach außen nicht zeigen darf, wenn er seine soziale Position nicht gefährden will	HL S. 6, 10, 14, 56 u. a./ST S. 11, 16, 22, 78 f. u. a.
Zitierung und Kommentierung der NS-Sprache	ironische Entlarvung des NS-Jargons, Nichtakzeptanz der Herrschaftssprache	HL S. 6, 7, 11 u. a./ ST S. 10, 11, 17 u. a.
Literaturzitate, lateinische Zitate	Entlarvung des Pseudo-Bildungsniveaus des Bäckermeisters N	HL S. 10, 57 u. a./ ST S. 17, 80 u. a.

---

65 Vgl. hierzu auch Garbe, S. 92–113; Schlemmer, S. 42–46; Bartsch, S. 16 f. und Keufges, S. 5–73.

3.6   Stil und Sprache

SPRACHLICHE MITTEL/STIL	ERKLÄRUNG	TEXTBELEG
nonverbale Kommunikation	dient den „Sprechern" als Ausweg aus der gefährlichen, negativ deutbaren verbalen Kommunikation in einem totalitären Staat	HL S. 8, 9, 12, 31, 34, 96 f. u. a./ST S. 13, 15, 19 f, 45, 48, 132 u. a.
Ersetzen eines Konkretums durch ein Abstraktum	Aufklärung und Warnung	HL S. 21, 24/ ST S. 31, 35
religiöse Bildsprache	Anti-Sprache gegen den faschistischen Sprachgebrauch (?), sprachliche Emigration des Lehrers	HL S. 41, 50, 70, 103 f. u. a./ST S. 58, 70, 97, 141 u. a.
Fußball- bzw. Sportsprache	noch nicht vom Nationalsozialismus beeinflusste Sprache, die eine eigene Erlebniswelt herstellt und die offen ist für internationale Einflüsse, auch der Sportler (Tormann) zeigt als Einziger spontane selbstlose Menschlichkeit	HL S. 7, 19 f./ ST S. 12, 29 f.
Groteske	der Sieg des Irrationalen wird als unaufhaltsam dargestellt, ein Kampf dagegen scheint fast aussichtslos	HL S. 38 u. a./ ST S. 54 u. a.

4 REZEPTIONS-
GESCHICHTE

5 MATERIALIEN

6 PRÜFUNGS-
AUFGABEN

3.7 Interpretationsansätze

3.7 Interpretationsansätze

ZUSAMMEN-
FASSUNG

Horváths Roman lässt sich unterschiedlich deuten. Der Autor schildert einmal den Entwicklungsweg von der Gottesferne zur Gottesnähe (1). Er berichtet über die Entlarvung eines Mörders (2), behandelt die Frage der persönlichen Schuld (3) und übt Kritik an der menschenverachtenden Ideologie einer Diktatur (4).

Das folgende Kapitel will und kann keine geschlossene Interpretation zu *Jugend ohne Gott* geben. Auch können im Rahmen dieser Publikation nicht alle Interpretationsansätze des Romans vorgestellt werden. Im Folgenden werden daher einige Aspekte bzw. Themenkreise, die Ödön von Horváth in seinem Roman literarisch verarbeitet hat, herausgegriffen und kurz vorgestellt.

Der Roman als:

Der Autor beschreibt die Geschichte einer Gottes-suche. → 1. religiöser Roman

Der Autor setzt sich mit der Frage von (persönlicher) Schuld auseinander. → 2. psychologischer Roman

Der Autor schildert die Entlarvung eines Mörders. → 3. Kriminalroman

Der Autor übt Kritik an faschistischen Ideologien. → 4. zeitkritisch-historischer Roman

3.7   Interpretationsansätze

Der religiöse Roman

Schon der Titel des Romans gibt eine Interpretationsrichtung vor.

> „... soll er mehr sein als der symbolische Ausdruck moralisie-
> render Verurteilung, bekommt er ja nur dadurch Sinn, dass der
> Lehrer im Verlauf des Romans – im Unterschied zu den Schülern
> (mit Ausnahme der Gruppe um B) – Gott entdeckt. Ja, man kann
> sogar so weit gehen zu sagen, dass er Gott entdeckt, weil die
> Jugend, seine Schüler, ohne Gott lebt."[66]

Verschiedene
Gottesbilder

Auf seinem **Entwicklungsweg von der Gottesferne zur Gottesnähe** wird der Lehrer mit verschiedenen Gottesbildern konfrontiert,
bevor er sein Gottesbild findet. Den **Gott seiner Eltern** hat der Lehrer verloren. Diesen „Mittelstandsgott, den Schutzgott der kleinen
Betriebe"[67], der kleinen Leute, „der Allmächtige", der „Gesundheit,
Glück und Zufriedenheit" (vgl. HL S. 5/ST S. 9) schenkt, ist dem
Lehrer im Krieg fremd geworden. Er hat ihn als Jugendlicher in
den Gräueln des Krieges verloren, weil er nicht begreifen konnte,
warum Gott das Böse zulässt (vgl. HL S. 30/ST S. 43). Aber der
„Verlust der religiösen Unbefangenheit"[68] wird von ihm eher als
schmerzlicher Vorgang empfunden und weniger als Befreiung. Er
hat ihn auch mit 34 Jahren noch nicht bewältigt.

Ein zweites Gottesbild wird dem Lehrer in seinem **Gespräch mit
dem Pfarrer** vermittelt. Dabei stützt sich der Pfarrer (merkwürdi-
gerweise) primär auf außerbiblische Autoritäten. Der Gott des Pfarrers ist der strafende Gott, „das Schrecklichste auf der Welt" (HL
S. 34/ST S. 48). Wehrt sich der Lehrer zunächst noch gegen dieses

———

66   Müller-Funk, S. 160.
67   Holl, S. 148.
68   Ebd.

3.7 Interpretationsansätze

Gottesbild, so übernimmt er es im Laufe der Zeit, auch wenn er zunächst noch versucht, dem strafenden Gott „einen Strich durch die Rechnung" (HL S. 48/ST S. 67) zu machen.

Der Lehrer hat dieses Gottesbild schließlich so verinnerlicht, dass er (ähnlich dem alten literarischen Muster der Bekehrungsgeschichten) sogar eine Gotteserscheinung hat: „Am letzten Tag unseres Lagerlebens kam Gott. Ich erwartete ihn bereits" (HL S. 54/ST S. 75). Aber im Gegensatz zu den Bekehrungsgeschichten ist es nicht der „liebe" Gott, sondern „er ist nicht gut" (HL S. 64/ST S. 89). Deutlich wird das an seinen Augen: „Er muß stechende, tückische Augen haben – kalt, sehr kalt" (HL S. 64/ST S. 89). Auch wenn der Lehrer jetzt an Gott glaubt, mag er diesen Gott (dieses Gottesbild) nicht.

Der strafende Gott

Die entscheidende Gottesbegegnung hat der Lehrer jedoch in der Gerichtspause im **Zigarettenladen**. Hier erlebt und erfährt er an dem alten Paar, dass Gott nur dort lebt, wo Liebe und gegenseitige Achtung herrschen (vgl. HL S. 65/ST S. 90). Zum anderen erkennt der Lehrer, dass Gott die Wahrheit ist. In diesem Zusammenhang wird ihm jetzt auch der gekreuzigte Jesus als Gottessohn bewusst (vgl. HL S. 68/ST S. 94 f.). Das Bekenntnis zu diesem Gottesbild und das Handeln nach seinem Gebot macht wirklich frei: Der Lehrer bekennt vor Gericht seine Schuld, obwohl er die negativen Folgen für seine berufliche Karriere kennt. (Auch das Mädchen Eva entlastet Z, obwohl sie weiß, dass sie sich selbst damit belastet.) Aber der Lehrer fühlt sich jetzt frei. Er braucht die abendlichen Betäubungen durch den Alkohol nicht mehr. Er wirkt heiter, die Naziaktivitäten erscheinen ihm jetzt lächerlich (vgl. HL S. 77 f./ST S. 106 ff.). Seine drohende Suspendierung lässt ihn kalt und seine ungewisse Zukunft macht ihm keine Sorgen.

Gott als Wahrheit

3.7   Interpretationsansätze

Auch ist der Lehrer jetzt erstmals wirklich aktiv, indem er den Mörder N's ("das Böse"[69]) zu enttarnen und zu überführen sucht. "Neben dem rigorosen Wunsch, die Schuld auf sich zu nehmen und ein Stück weit das Böse aus der Welt zu schaffen, ist die erfolgreiche Jagd auf T Bestandteil der inneren Verwandlung des Lehrers."[70]

Hatte Horváth bisher das Symbol der Sintflut benutzt, um so auf die hereinbrechende Katastrophe (die Strafe/Konsequenz für die Gottesferne) hinzuweisen, so befindet sich der Lehrer am Ende "über den Wassern" (HL S. 104/ST S. 142).

Die Augen Gottes

Auch die Augen Gottes wandeln sich für ihn. Hatte der Lehrer bisher die Augen des strafenden Gottes als "tückisch" (HL S. 104/ST S. 141) und "kalt" (HL S. 64/ST S. 89) empfunden, so sind Gottes Augen jetzt "still, wie die dunklen Seen in den Wäldern meiner Heimat. Und traurig, wie eine Kindheit ohne Licht. So schaut Gott zu uns herein" (HL S. 104/ST S. 141).

Der psychologische Roman

Das Problem der Schuld

Eng verbunden mit den Gottesbildern ist das Problem der Schuld. Besonders deutlich wird das im Gespräch des Lehrers mit dem Pfarrer über dessen Gottesbild:

> "Der Gott des Pfarrers ist zunächst als strafende Instanz in der Welt anwesend, ist gewissermaßen der freie Wille, der gegen den Menschen zurückschlägt und die ‚Büchse der Pandora' öffnet."[71]

Der Lehrer leugnet zunächst diese Sicht und will mit seinem freien Willen die Pläne Gottes durchkreuzen. Aber diese Hybris wird be-

---

69   Müller-Funk, S. 172.
70   Ebd.
71   Ebd., S. 168.

3.7 Interpretationsansätze

straft. Die Absicht des Lehrers wird im Folgenden durch „Zufälle"
und eigene Schuld durchkreuzt: Bereits damit, dass der Lehrer das
Schloss des Kästchens beschädigt hat, beginnt das Verhängnis. Ab-
gelenkt durch die erotischen Reize Evas kommt er nicht dazu, Eva
und Z seine Schuld zu bekennen. Und als er damit warten will, bis
das „Licht" (HL S. 51/ST S. 71) kommt, übermannt ihn der Schlaf,
als hätte ihn „der Teufel" (HL S. 54/ST S. 75) geholt.

> „Der Lehrer, der mit seinem freien Willen gegen das Böse in
> heroisch-einsamer Manier ankämpfen wollte, ist mitschuldig ge-
> worden am Tod eines Menschen."[72]

Die Mitschuld des Lehrers

Der Pfarrer sieht aber gerade im freien Willen des Menschen den
Ursprung der Schuld, die er im christlichen Sinn als Erbsünde bezeichnet (vgl. HL S. 34/ST S. 48). Damit wird die Schuld als univer-
sales Menschheitsschicksal angesehen, die keiner äußeren Ursache
bedarf, sondern im Menschen selbst liegt.

Erst allmählich gelangt der Lehrer zu der Einsicht sowohl einer
allgemein-menschlichen als auch seiner persönlichen Schuld (vgl.
HL S. 53/ST S. 73 f.) und damit zum Wissen um seine eigene Verantwortlichkeit. Das Bewusstsein seiner Schuld befähigt ihn zu einer
inneren Umkehr. Aber bei der Jagd auf den Mörder N's verstrickt
sich der Lehrer abermals in Schuld. In seinem „Gespenstertraum",
in dem ihm der tote N erscheint, wird dem Lehrer klargemacht, dass
auch derjenige, der das Böse bekämpft, sich schuldig macht: „Henker und Opfer verschmelzen ineinander als Gleichnis menschlicher
Existenz."[73]

Einsicht

———

72   Ebd., S. 169.
73   Ebd., S. 171.

3.7   Interpretationsansätze

Die Kriminal- und Detektivgeschichte

Neben dieser „inneren Handlung" gilt die Interpretation aber auch der „äußeren Handlung"[74], der Kriminal- bzw. Detektivgeschichte. Vordergründig benutzt Horváth diese **populäre Gattung der Unterhaltungsliteratur** sicherlich auch, um eine möglichst große Leserschaft für seinen Roman und seine eigentlichen Anliegen zu interessieren.

Indem er das gängige Schema des Kriminal- bzw. Detektivromans anwendet, baut Horváth dessen typische Spannung auf (Wer ist der Mörder? Wie wird es gelingen, ihn zu entlarven? Was ist sein Motiv? etc.), die den Leser motiviert, weiterzulesen.

Funktion der detektivischen Struktur

Die detektivische Struktur des Romans hat aber noch eine weitere Funktion. Verwundert erst, dass der Lehrer sich bei der Jagd nach dem Täter so engagiert, obwohl zunächst seine Verwicklung in den Fall nicht recht erkennbar ist, so wird allmählich deutlich, dass er mit dem Mörder T auf geheimnisvolle Weise verbunden ist. Man muss vielleicht gar nicht so weit gehen, T als einen Doppelgänger des Lehrers, als „eine Projektion seiner bösen, zu bestrafenden Ich-Anteile" zu sehen und das Engagement des Lehrers bei der Entlarvung des Mörders als „sadistische Wut" und „Momente des Selbsthasses" zu interpretieren[75], aber eine gewisse **Parallelität zwischen Lehrer und T**, also zwischen Detektiv und Täter, besteht. Damit übernimmt Horváth ein Element, das sehr oft in der Kriminalliteratur vorkommt: Mörder und Verfolger haben Gemeinsamkeiten, die zu einem Verwirrspiel führen.[76]

Der Mörder und sein Henker

Im nächtlichen Gespenstertraum des Lehrers (vgl. HL S. 97 ff./ST S. 133 ff.) sagt der tote N das in aller Deutlichkeit: Der Mörder

---

74   Kaiser, S. 52.
75   Vgl. Schröder, S. 58–60.
76   Vgl. etwa Dürrenmatts Roman *Der Richter und sein Henker*.

3.7   Interpretationsansätze

geht quasi im Henker auf. Damit deckt der quälende Albtraum den inneren Konflikt des Lehrers und seine tiefen Schuldgefühle auf. Wie T hat auch der Lehrer quasi als Voyeur die Menschen lange nur aus kühler Distanz beobachtet und ihr Verhalten registriert. Dabei hat er sich wider besseres Wissen aus allem herausgehalten. Darin, dass er sich sowohl menschlich wie auch politisch nicht auf andere eingelassen und sich kaum (oder doch zu wenig) engagiert hat, liegt die Mitschuld des Lehrers.

Im Gegensatz zu T, der zwar wie der Lehrer auch Voyeur ist, aber emotionslos aus „kaltem und purem Wissensdurst"[77] beobachtet (sowohl „Liebe" wie Tod) und quasi aus Kälte tötet, beobachtet der Lehrer mit innerer Anteilnahme. Er empfindet Betroffenheit, Scham, Angst und Wut, Gefühle, die T fremd sind.

Voyeurismus als gemeinsame Eigenschaft

Das „Wissenwollen über die menschlichen Dinge" hat ohne menschliche Anteilnahme aber immer etwas Tödliches, weil „der Mensch so [nur] zum Objekt der Neugierde und der Befriedigung des eigenen Wissensdurstes wird."[78]

So gesehen laufen

„in der detektivischen Struktur, der Tätereinkreisung, die zentralen Themen ... [des] Romans zusammen ...: die religiöse Thematik (Gott kam am Tag, als der Mord begangen wurde), die Wahrheits-[bzw. Schuld-]thematik (Lehrer als Detektiv des Mordfalls und Erforscher der eigenen Seele) und die Zeitthematik (die Kälte des faschistischen Zeitalters)."[79]

Dadurch, dass T den Mord an einem Klassenkameraden aus emotionsloser Kälte begeht, wird dieser Mord „über seine rein schemati-

Vorwurf an den Menschen

---

77   Bohlen/Zölle, S. 39.
78   Ebd., S. 41.
79   Ebd., S. 40.

3.7 Interpretationsansätze

sche Funktion im Detektivroman hinaus zum intensivsten Vorwurf an den Menschen in diesem ‚Zeitalter der Fische'."[80]

Julius Caesar sieht das „Zeitalter der Fische" herannahen (vgl. HL S. 18/ST S. 27), und auch der Lehrer fürchtet es, eine Zeit, in der die Menschen in „einem Paradies der Dummheit" (HL S. 18/ST S. 27) leben, in der ihr Ideal der Hohn ist und ihre Seele kalt und unbeweglich „wie das Antlitz eines Fisches" (HL S. 18/ST S. 27) wird.

Der zeitkritisch-historische Roman

Horváths Zeitkritik ist immer wieder auf die Zeit des Faschismus bezogen worden, und in der Tat lassen sich in der staatlichen (Radio-) Propaganda, der staatlich verordneten Erziehung zum Krieg und in der Sprache Parallelen zum Hitler-Staat finden. Horváths Kritik lässt sich jedoch auch auf alle anderen zeitgenössischen und nachzeitlichen Diktaturen beziehen.[81]

Übertragbarkeit auch auf andere Diktaturen

Horváth entlarvt nicht nur die inhaltslosen Phrasen einer solchen Diktatur (vgl. Kap. 3.6), sondern auch das Verhalten der Menschen. Neben der Gruppe derjenigen, die die Ideologie kritiklos akzeptieren, ja sie sogar verinnerlichen und verteidigen (N, sein Vater, Z und T), gibt es die weit größere Gruppe derer, die sich im System eingerichtet haben, ohne seine Ideologie wirklich zu übernehmen. Aus Bequemlichkeit oder aus Angst vor unangenehmen Folgen verhalten sie sich weitgehend passiv (Lehrer, Direktor). Eine dritte, allerdings sehr kleine Gruppe lehnt diese Ideologie ab. „Sie verweigern bzw. entziehen sich dem System, leisten aber bestenfalls passiven bzw. geistigen Widerstand"[82] (Julius Caesar, Pfarrer, der

---

80 Haslinger, S. 200.
81 Vgl. Müller-Funk, S. 160.
82 Schlemmer, S. 60.

3.7   Interpretationsansätze

Klub, später der Lehrer). Auffallend ist, dass Horváth keine Gruppe
darstellt, die offen Widerstand leistet!

„So hat die Jugend kaum eine Chance, etwas anderes kennen
zu lernen. Weil ihr Alternativen fehlen, die Elterngeneration die
neue Ideologie begrüßt, ihr gleichgültig gegenübersteht bzw.
dazu schweigt und passiv verharrt, bleibt der Faschismus ohne
erkennbaren wirksamen Gegner schließlich erfolgreich."[83]

Fehlende
Alternativen für
Jugendliche

„... Es ist die Kälte der Gesellschaft, der Zynismus und Egoismus ihrer Protagonisten, der diese Jugend verrohen und zu
willfähigen Mitläufern der Verderber werden lässt."[84]

Auch der Lehrer, „der es [schließlich] aber nicht fertig bringt, vor
der ‚Brutalität der Wirklichkeit' im Staub zu liegen"[85] und dadurch
den ideologiekritischen Jugendlichen Vorbild und Stütze ist, geht
am Ende nach Afrika.

Diese „Emigration ins Exil" wird notwendig, „weil der Einzelne
in diesem faschistischen System nur sich selbst verändern kann,
auf das Ganze aber keinen Einfluss hat. Um wenigstens sich selbst
bewahren zu können, muss er gehen."[86]

Horváth lässt offen, ob man diese Emigration als feige Flucht vor
dem konsequenten Kampf gegen Unrecht und Lüge sehen muss
oder als „notwendige, bewundernswerte Reaktion auf die Anfein-
dung, die einzige Möglichkeit, mit Anstand zu überleben"[87] (vgl.
Kap. 3.4).

---

83 Ebd., S. 60.
84 Braunschweiger Zeitung vom 17. Oktober 1994 über Jürgen Amanns dramatisierte Fassung des
    Romans für das Kinder- und Jugendtheater Braunschweig.
85 Volksstimme (Wien) vom 22. Januar 1972.
86 Bohlen/Zölle, S. 46.
87 Ebd., S. 49.

3.7 Interpretationsansätze

Gegner
des Lehrers

Dass der Lehrer „aus dem faschistischen Urwald" flieht und die Stelle an einer Missionsschule in Afrika annimmt, zeigt aber „noch in der Wahrhaftigkeit die Ohnmacht solcher Alternativen"[88](?).

---

88   Volksstimme (Wien) vom 22. Januar 1972.

4. REZEPTIONSGESCHICHTE

ZUSAMMEN-
FASSUNG

Die frühen ausländischen Rezensionen (der Roman war bis 1945 in Deutschland verboten) heben vor allem den ethischen und ideologiekritischen Gehalt des Romans hervor. Nach 1945 verschiebt sich die Betrachtungsweise auf die Bekehrung des Lehrers und die sprachliche Gestaltung.

Horváths Roman *Jugend ohne Gott* erschien am 26. 10. 1937 im Allert de Lange Verlag in Amsterdam. Innerhalb nur eines Jahres wurde der Roman in acht Sprachen übersetzt (Englisch, Tschechisch, Polnisch, Französisch, Schwedisch, Serbokroatisch, Niederländisch und Dänisch) und begründete den internationalen Erfolg Horváths. Die ausländischen Besprechungen des Romans waren überwiegend positiv. Sie betonten vor allem die „moralische Konfliktsituation" sowie die „metaphysische Dimension"[89] des Romans.

So beschreibt **Franz Theodor Csokor** in der **Basler National-Zeitung**:

> „Der Lehrer duckt sich, er will nicht sein Brot verlieren, er rettet sich in einen burschikosen Zynismus, entschlossen, die Wirklichkeit um sich als Wahrheit zu bejahen. Aber er kann es nicht. Er sucht einen Weg in ein Versteck – und er gerät auf den Weg nach Damaskus."[90]

Internationaler Erfolg

Franz Theodor Csokor

---

89 Tworek, *Kommentar zum Roman*, S. 166.
90 Basler National-Zeitung vom 28. November 1937.

Die **Pariser Tageszeitung** betont, „alles entspringt aus einem Humanismus und Individualismus, der seine höhere Aufhebung in einer religiösen Ethik findet"[91], und die **Neue Zürcher Zeitung** hebt hervor: Horváth „ragt über sein kritisches Ich hinaus und sucht im Wirrsal der Verfehlungen ein Prinzip, das er aus purer Verzweiflung am Menschen ‚Gott' nennen möchte – obschon es sich nur um sein ‚Gewissen' handelt."[92]

Reaktionen der Exilzeitschriften

Die Exilzeitungen und -zeitschriften betonten hingegen den politischen Gehalt des Romans und seinen aktuellen Bezug zur faschistischen Gesellschaft. So schreibt **Max Brod** im **Prager Tagblatt**: „Wie es den Untertanen in einem solchen Staat zumute ist, den Tyrannis regiert, das schildert Ödön von Horváths Roman *Jugend ohne Gott*."[93] Und auch **Herrmann Linde** betont in **Die Zukunft** Horváths Verdienst, „als Erster die Jugend unter der faschistischen Diktatur zum Thema gemacht zu haben."[94]

Kurt Großmann

Kurt Großmann fragt im Prager **Sozialdemokrat**, wem man den Roman empfehlen sollte: „der Jugend, deren grauenvolles Schicksal (er) lebenswahr gestalte(t)? Oder den Eltern, die am Rande des Geschehens, die Hände in den Schoß gelegt, zuschauen?" Er kommt zum Ergebnis: „In erster Linie den Eltern. Denn sie können ... (aus dem) Buche vieles lernen, vor allem verantwortlich zu handeln."[95]

Nach 1945 verschiebt sich die Betrachtungsweise des Romans etwas. So betont **Gotthard Montesi** in **Wort und Wahrheit** zwar, dass die Kritik an der NS-Jugenderziehung „keineswegs retrospektiv" gesehen werden dürfe, da sie nicht allein auf den Nationalsozialismus zu beziehen, sondern durchaus „aktuell" sei, sieht aber

---

91   Pariser Tageszeitung vom 12. November 1937.
92   Neue Zürcher Zeitung vom 12. Dezember 1937.
93   Prager Tagblatt vom 11. Dezember 1937.
94   Die Zukunft vom 12. Dezember 1938.
95   Der Sozialdemokrat (Prag) vom 27. Januar 1938.

den „eigentlichen Kern des Buches" in der Bekeh. / /
Montesi betont aber auch, dass Horváths Gott „nicht ɣ
der Christen" sei: „Dass Gott auch die Liebe ist und die ̗
zigkeit, nicht nur die Wahrheit und das Richten, das bleib̗.
schwiegen. Dennoch ist Horváths Roman ein erschütterndes Gᴜ
tesbekenntnis."[96]

Auch die „Textgattung" und die Sprache Horváths rücken nach
1945 mehr in den Vordergrund der Besprechungen. Bezeichnet
Montesi Horváths Darstellung der Jugenderziehung in einem faschistischen Staat als „bohrende Satire"[97], so sieht **Heide Kampils-
Piffl** in **Die Presse** im Roman „die schmerzhafte Tragikkomödie des
nach einem neuen Humanismus suchenden Menschen."[98]

Auch über die sprachliche Darstellung des Buchs gehen die Meinungen auseinander. Sieht **Montesi** die „ungewöhnliche Wirkung"
von Horváths Roman gerade darin, „dass er in einer fast skeletthaft reduzierten Sprache erzählt wird"[99], so betont **Angelika Steets**,
dass Horváth sich nicht an vorgegebene literarischen Schemata bindet, zwar auf bekannte Formen zurückgreift, aber ihre typischen
Merkmale nicht ausschöpft und systematisch einsetzt.[100] **Burckhard Garbe** schließlich beschreibt Horváths Sprache als „poetische
Prosa", deren wichtigstes Merkmal in den ästhetisch begründeten
Abweichungen von der vertrauten Alltagssprache zu finden sei.[101]

---

96 Wort und Wahrheit 3, 1948.
97 Ebd.
98 Die Presse (Wien) vom 14./15. März 1970.
99 Wort und Wahrheit 3, 1948.
100 Vgl. Streets, Angelika: *Die Prosawerke Ödön von Horvaths.*
101 Vgl. Garbe, S. 92 ff.

5. MATERIALIEN

Der nationalsozialistische (Erziehungs-)Lebenslauf

.itler

In seiner Rede vom 2. Dezember 1938 in Reichenberg gibt Adolf Hitler (1889–1945) ein unverblümtes Bild der Ziele und Methoden, Jugendliche im Nationalsozialismus systemkonform zu erziehen und sie ihr Leben lang gefangen zu halten:

„Diese Jugend lernt ja nichts anderes als deutsch denken, deutsch handeln. Und wenn nun dieser Knabe und dieses Mädchen mit ihren zehn Jahren in unsere Organisationen hineinkommen und dort nun so oft zum erstenmal überhaupt eine frische Luft bekommen und fühlen, dann kommen sie vier Jahre später vom Jungvolk in die Hitlerjugend, und dort behalten wir sie wieder vier Jahre, und dann geben wir sie erst recht nicht zurück in die Hände unserer alten Klassen- und Standeserzeuger, sondern dann nehmen wir sie sofort in die Partei oder in die Arbeitsfront in die SA oder in die SS, in das NSKK und so weiter.

Und wenn sie dort zwei Jahre oder anderthalb Jahre sind und noch nicht ganze Nationalsozialisten geworden sein sollten, dann kommen sie in den Arbeitsdienst und werden dort wieder sechs oder sieben Monate geschliffen, alle mit einem Symbol, dem deutschen Spaten. Und was dann nach sechs oder sieben Monaten noch an Klassenbewusstsein oder Standesdünkel da ist oder da noch vorhanden sein sollte, das übernimmt dann die Wehrmacht zur weiteren Behandlung auf zwei Jahre.

Und wenn sie dann nach zwei oder drei oder vier Jahren zurückkehren, dann nehmen wir sie, damit sie auf keinen Fall rückfällig

6. PRÜFUNGSAUFGABEN MIT MUSTERLÖSUNGEN

Unter www.königserläuterungen.de/download find
zwei weitere Aufgaben mit Musterlösungen.

Die Zahl der Sternchen bezeichnet das Anfor
der jeweiligen Aufgabe.

Aufgabe 1 **

Nach dem Selbstmord d
der Polizei zum Verhi
(HL S. 99 ff./ST S. 1
a) Wieso versuch
am Tod ihres S
b) Wie wird

Mögliche Lösung in k.

zu a)

→ Sie will nicht, dass ihr Sohn a.
ST S. 137: „,Lüge!', kreischt sie. ,
Schuld, nur er! Er hat meinen Sohn h.
nur er!'").

→ Sie hat Angst um das Ansehen der Familie, wi.
de ersparen" (HL S. 104/ST S. 141).

→ Sie fürchtet den evtl. Verlust ihres Lebensstandards.

→ Sie will sich nicht mit dem Versagen ihrer Stellung als Mu.
auseinandersetzen.

---

werden, sofort wieder in SA, SS und so weiter. Ur.
mehr frei, ihr ganzes Leben."[102]

Die Erziehungsziele des BDM

Der Reichsjugendführer der NSDAP und Jugendführer des Deutschen Reiches Baldur von Schirach (1907–1974) beschreibt 1934
die Erziehungsziele des BDM (Bund Deutscher Mädel) und damit
die Funktion, die der NS-Staat den Frauen zugestand:

„Wer im BDM organisiert ist, soll lernen, dass der neue Staat
auch den Mädchen eine Aufgabe zuweist, Pflichterfüllung und
Selbstzucht fordert. Wie der Junge nach Kraft strebt, so strebt das
Mädchen nach Schönheit. Aber der BDM verschreibt sich nicht dem
verlogenen Ideal einer geschminkten und äußerlichen Schönheit,
sondern ringt um jene ehrliche Schönheit, die in der harmonischen
Durchbildung des Körpers und im edlen Dreiklang von Körper, Seele und Geist beschlossen liegt.
Diesem Ziel dient die immer größer werdende sportliche Arbeit
des BDM, diesem selben Ziel die weltanschauliche Schulung. ...:
Die Generation, die einmal an der deutschen Zukunft mitgestalten
will, braucht heroische Frauen. Schwächliche ,Damen' und solche
Wesen, die ihren Körper vernachlässigen und in Faulheit verkommen lassen, gehören nicht in die kommende Zeit. Der BDM soll die
stolzen und edlen Frauen hervorbringen, die im Bewusstsein ihres
höchsten Wertes nur dem Ebenbürtigen gehören wollen.
Der Eintritt in den BDM verpflichtet die Mädels zu einem Leben,
das anders ist als das aller anderen Jugend. Auch sie geloben sich
Gemeinschaft und stellen das Ziel der Gemeinschaft höher als

Beobachter vom 4. Dezember 1938.

99

zu b)

→ Der Lehrer charakterisiert T und motiviert so seine Tat: „Und ich rede von dem fremden Jungen, der den N erschlagen hat, und erzähle, daß der T zuschauen wollte, wie ein Mensch kommt und geht. Geburt und Tod, und alles, was dazwischen liegt, wollt er genau wissen. Er wollte alle Geheimnisse ergründen, aber nur, um darüberstehen zu können – darüber mit seinem Hohn. Er kannte keine Schauer, denn seine Angst war nur Feigheit. Und seine Liebe zur Wirklichkeit war nur der Haß auf die Wahrheit." (HL S. 102/ST S. 139)

→ Er erinnert an das geschlossene Sägewerk und die hungernden Kinder (HL S. 102/ST S. 140).

→ Als die Mutter T's daraufhin einen hysterischen Anfall bekommt, verliert sie den 2. Teil des Abschiedsbriefes ihres Sohnes, in dem er den Mord gesteht, und legt ein Geständnis ab (HL S. 103/ST S. 141).

Aufgabe 2 ***

Das Gespräch im Zigarettenladen (HL S. 64–66/ST S. 89–91) bildet den Wendepunkt im Leben des Lehrers.
a) Ordnen Sie den Text in den Gesamtzusammenhang des Romans ein.
b) Beschreiben Sie den Weg des Lehrers vom „Gottessucher" zum „Gottesfinder".

Mögliche Lösung in knapper Fassung:
zu a)

Nachdem der Schüler N während des Zeltlageraufenthalts der Klasse ermordet wurde, kommt es zum Prozess gegen den vermeintlichen Täter, den Schüler Z. Der Lehrer hat bisher verschwiegen,

ANALYSE

ÖDÖN VON HORVÁTH

dass er Z's Kästchen heimlich aufgebrochen hat, um dessen Tage-buch zu lesen. Er hatte damit aber den Streit zwischen Z und N heraufbeschworen (Z hielt N für den Täter), der schließlich zur Er-mordung N's führte. Nach der „Gottesbegegnung" im Zigarettenla-den gesteht der Lehrer seine Schuld, übernimmt die Verantwortung und entlarvt den wahren Mörder.

zu b)

BESCHREIBUNG

→ Der Lehrer hat durch das lieblose und nur scheinfromme Verhal-ten seiner Eltern seinen Gottesglauben verloren.
→ Er begründet zwar mit Bibel und Gott seine humane Haltung (u. a. HL S. 8, 10/ST S. 13, 16), glaubt aber nicht an Gott, bzw. will nicht an ihn glauben: „ich unterrichte Geschichte und weiß es doch, daß es auch vor Christi Geburt eine Welt gegeben hat, die antike Welt, Hellas, eine Welt ohne Erbsünde −" (HL S. 37/ST S. 49)
→ Er will sein Leben selbst (ohne Gott) bestimmen: „Ja, Gott ist schrecklich, aber ich will ihm einen Strich durch die Rechnung machen. Mit meinem freien Willen." (HL S. 48/ST S. 67)

Zwei Schlüsselerlebnisse ändern seine Einstellung:

→ Der Mord am Schüler N wird vom Lehrer als Kommen Gottes ge-sehen (HL S. 54/ST S. 75), aber er mag Gott nicht. Er ist ihm zu „kalt" (HL S. 64/ST S. 89).
→ Das Gespräch im Zigarettenladen bringt eine Veränderung in seinem Gottesbild:

Gott ist nicht schrecklich, sondern er ist die Wahrheit (HL S. 104/ST S. 90 f.).

Der Lehrer verliert seine Angst vor Gott und ändert sein Verhalten (HL S. 104/ST S. 96).

Aufgabe 3 **

Ist der Lehrer schuldig am Tod N's? Argumentieren Sie in einer fiktionalen Gerichtsverhandlung mit Pro (Staatsanwalt) und Contra (Verteidiger) und kommen Sie zu einem Urteil (Richterspruch).

ARGUMENTATION

Mögliche Lösung in knapper Fassung:

Pro:	Contra:
→ Lehrer verschweigt, dass er das Kästchen aufgebrochen hat.	→ Der Lehrer bekennt öffentlich (vor Gericht) seine Schuld.
→ Er lässt zu, dass der Verdacht auf N fällt.	→ Die Ermordung N's hat primär nichts mit der Schuld des Lehrers zu tun.
→ Er hilft N nicht. (HL S. 47/ST S. 66)	→ Der Lehrer hatte immer vor, Z seine Schuld einzugestehen. (HL S. 48 f./ST S. 69 f.)

Richterspruch (Urteil):
individuelle Schülerentscheidung (HL S. 47/ST S. 66)

Aufgabe 4 **

Arbeiten Sie die Elemente der Kriminalerzählung in Horváths Roman *Jugend ohne Gott* heraus.

Mögliche Lösung in knapper Fassung: ANALYSE

1. Wer war der Täter (Who done it?)
   → Falsche Spuren werden gelegt.
   → Zunächst sprechen alle Indizien für Z als Täter. Sein Geständnis scheint den Verdacht noch zu bestätigen.
   → Durch Evas Aussage („Ich erinner mich nur, er hatte helle, runde Augen. Wie ein Fisch.") kommt der Lehrer auf die Spur von T (HL S. 73/ST S. 100 f.).
2. Die Suche nach dem Motiv des Täters
   → Gespräch des Lehrers mit T (HL S. 75–77/ST S. 101–106)
   → Motivanalyse des Lehrers (HL S. 102/ST S. 139)
3. Die Entlarvung und Überführung des Täters:
   → Versuche den Täter zu überführen (Detektivarbeit):
      – Julius Caesar will T in eine Falle locken (HL S. 93–97/ ST S. 126–132).
      – Der Klub observiert T (HL S. 83/ST S. 114).
      – Versuch des Lehrers, T's Mutter zu befragen (HL S. 88–90/ST S. 121–124)
   → Langsames Einkreisen des Täters
   → Geständnis des Täters

T entzieht sich der Bestrafung und der Verantwortung durch Selbstmord, gesteht aber vorher schriftlich seine Tat (HL S. 99 ff., 103/ST S. 136 ff., 141 f.).

LITERATUR

Zitierte Ausgaben:

Horváth, Ödön von: *Jugend ohne Gott. Roman.* Husum/Nordsee: Hamburger Lesehefte Verlag, 2011 (Hamburger Leseheft Nr. 230, Heftbearbeitung: Sandra Schött). → Zitatverweise sind mit **HL** gekennzeichnet.

Horváth, Ödön von: *Jugend ohne Gott. Roman.* Mit einem Kommentar von Elisabeth Tworek. Frankfurt/M.: Suhrkamp, 1999 (Suhrkamp BasisBibliothek 7). → Zitatverweise sind mit **ST** gekennzeichnet.

Weitere Ausgabe:

Horváth, Ödön von: *Ein Kind unserer Zeit. Roman.* Mit einem Vorwort von Franz Werfel. Amsterdam: Allert de Lange, 1938.

Lernhilfen, Kommentare, Arbeitsmaterial für Schüler:

Bohlen, Frauke/Zölle, Rosemarie: *Stundenblätter Ödön von Horváth „Jugend ohne Gott".* Stuttgart, Düsseldorf, Leipzig: Klett, 2000 → Ausführliche Unterrichtseinheit zum Roman, besonders für die Hand des Lehrers.

Urban, Cerstin: *Erläuterungen zu Ödön von Horváths „Jugend ohne Gott".* Hollfeld: Bange, 2001. (Königs Erläuterungen und Materialien, Band 400) → Vorgänger der vorliegenden Erläuterung.

Schlemmer, Ulrich: *Ödön von Horváth: „Jugend ohne Gott".* München: Oldenbourg, 1993 (Oldenbourg Interpretationen, Band 65) → Ausführliche Interpretation und Vorschläge zur Behandlung des Romans im Unterricht.

Sekundärliteratur:

Bartsch, Kurt: *Ödön von Horváth*. Stuttgart, Weimar: Metzler, 2000 (Sammlung Metzler, Band 326).

Birbaumer, Ulf: *Trotz allem: die Liebe hört nimmer auf. Motivparallelen in Horváths „Der Lenz ist da!" und „Jugend ohne Gott"*. In: Krischke, Traugott (Hg.): Horváths „Jugend ohne Gott". Frankfurt/M: Suhrkamp, 1984 (suhrkamp taschenbuch materialien), S. 116–128.

Fritz, Axel: *Ödön von Horváth als Kritiker seiner Zeit. Studien zum Werk in seinem Verhältnis zum politischen, sozialen und kulturellen Zeitgeschehen*. München: List, 1973 (List Taschenbücher der Wissenschaft 1446).

Gamper, Herbert: *Horváths komplexe Textur. Dargestellt an frühen Stücken*. Zürich: Ammann, 1987.

Garbe, Burckhard: *„Ja, es kommen kalte Zeiten." Beobachtungen zur poetischen Sprache Horváths in „Jugend ohne Gott"*. In: Krischke, Traugott (Hg.): Horváths „Jugend ohne Gott". Frankfurt/M: Suhrkamp, 1984 (suhrkamp taschenbuch materialien), S. 92–115.

Gros, Peter: *Plebejer, Sklaven und Caesaren. Die Antike im Werk Ödön von Horváths*. Bern, Berlin, Frankfurt/M.: Lang, 1995 (Europäische Hochschulschriften: Reihe 1, Deutsche Sprache und Literatur, Band 1550).

Haslinger, Adolf: *Ödön von Horváths „Jugend ohne Gott" als Detektivroman. Ein Beitrag zur österreichischen Kriminalliteratur*. In: Holzmer, Johann/Klein, Michael/Wiesmüller, Wolfgang (Hg.): Studien zur Literatur des 19. und 20. Jahrhunderts in Österreich. Festschrift für Adolf Doppler zum 60. Geburtstag. Innsbruck, 1981, S. 197–204 (Innsbrucker Beiträge zur Kulturwissenschaft. Germanistische Reihe 12).

Hildebrandt, Dieter: *Ödön von Horváth in Selbstzeugnissen und Bilddokumenten*. Reinbek: Rowohlt, 1975 (rowohlts monographien).

Holl, Adolf: *Gott ist die Wahrheit oder Horváths Suche nach der zweiten Naivität*. In: Krischke, Traugott (Hg.): Horváths „Jugend ohne Gott". Frankfurt/M: Suhrkamp, 1984 (suhrkamp taschenbuch materialien), S. 47–156.

Kaiser, Wolf: *„Jugend ohne Gott" – ein antifaschistischer Roman?* In: Krischke, Traugott (Hg.): Horváths „Jugend ohne Gott". Frankfurt/M: Suhrkamp, 1984 (suhrkamp taschenbuch materialien), S. 48–68.

Keufgens, Norbert: *Erläuterungen und Dokumente. Ödön von Horváth „Jugend ohne Gott"*. Stuttgart: Reclam, 1998 (Reclam Universal-Bibliothek).

Kranzbühler, Bettina: *Zitat-Technik und Leitwortstil in der Prosa Ödön von Horváths (unter besonderer Berücksichtigung des Romans „Jugend ohne Gott")*. Hausarbeit, München 1982.

Krischke, Traugott: *Ödön von Horváth. Kind seiner Zeit*. München: Heyne, 1980 (Heyne Biographien 71).

Krischke, Traugott (Hg.): *Horváths „Jugend ohne Gott"*. Frankfurt/M.: Suhrkamp, 1984 (suhrkamp taschenbuch materialien).

Müller-Funk, Wolfgang: *Faschismus und freier Wille. Horvaths Roman „Jugend ohne Gott" zwischen Zeitbilanz und Theodizee*. In: Krischke, Traugott (Hg.): Horváths „Jugend ohne Gott". Frankfurt/M.: Suhrkamp, 1984 (suhrkamp taschenbuch materialien), S. 157–179.

Oellers, Piero: *Das Welt- und Menschenbild im Werk Ödön von Horváths*. Bern, Frankfurt/M. u. a.: Lang, 1987 (Europäische Hochschulschriften: Reihe 1, Deutsche Sprache und Literatur, Band 1087).

Schnitzler, Christian: *Der politische Horváth. Untersuchungen zu Leben und Werk.* Frankfurt/M., Bern u. a.: Lang, 1990 (Marburger germanistische Studien, Band 11).

Schober, Wolfgang Heinz: *Die Jugendproblematik in Horváths Romanen.* In: Bartsch, Kurt/Baur, Uwe/Goltschnigg, Dietmar (Hg.): Horváth-Diskussion. Kronberg/Ts.: Scriptor, 1976, S. 124–137.

Schröder, Jürgen: *Das Spätwerk Ödön von Horváths.* In: Sprachkunst 7, 1976, S. 49–71.

Streets, Angelika: *Die Prosawerke Ödön von Horváths. Versuch einer Bedeutungsanalyse.* Stuttgart: Heinz, 1975 (Stuttgarter Arbeiten zur Germanistik 11).

Rezensionen:

Brod, Max: [o. T.]. In: Prager Tagblatt vom 11. Dezember 1937.

c. m.: *Ewige Opposition der Jugend. Ödön von Horváths Schüler-Roman.* In: Pariser Tageszeitung vom 12. November 1937.

Großmann, Kurt: *Jugend ohne Gott.* In: Der Sozialdemokrat (Prag) vom 27. Januar 1938.

Csokor, Franz Theodor: *Ein Buch von Morgen. Ödön von Horváth: „Jugend ohne Gott!" Roman.* In: Basler National-Zeitung vom 28. November 1937.

Kampits-Piffl, Heide: *Von Fischen und Menschen.* In: Die Presse (Wien) vom 14./15. März 1970.

Montesi, Gotthard: *Roman der Wahrhaftigkeit.* In: Wort und Wahrheit. Monatsschrift für Religion und Kultur 3, 1948, Hbd. 2, S. 950 f.

E. W.: *Flucht zu den Negern.* In: Volksstimme (Wien) vom 22. Januar 1972.

Sonstige Literatur:

Bergmann, Klaus: *Schule im Nationalsozialismus.* In: Geschichte lernen, Heft 24, 1991, S. 23.

ders.: *Nationalsozialistische Jugendorganisationen.* In: ebd.

Gruenberg, L.: *Wehrgedanke und Schule.* Leipzig: Armanen, 1934.

Halbritter, Kurt: *Adolf Hitlers „Mein Kampf". Gezeichnete Erinnerungen an eine große Zeit.* München: Heyne, 1979.

Homeier, Jobst-H.: *Hitler über Erziehung.* In: Geschichte lernen, Heft 24, 1991, S. 20–22.

Honekamp, Gerhard: *„Straff, aber nicht stramm – herb, aber nicht derb." Erziehung zur deutschen Frau durch den Bund Deutscher Mädel (BDM).* In: Geschichte lernen, Heft 24, 1991, S. 44–47.

Liessem, Wera: *Erinnerungen.* In: Krischke, Traugott (Hg.): Materialien zu Ödön von Horváth. Frankfurt/M.: Suhrkamp, 1970, S. 82–84.

Schirach, Baldur von: *Die Hitler-Jugend. Idee und Gestalt.* Leipzig, 1934.

Schmid, Hans-Dieter/Schneider, Gerhard: *„Schön ist es, wenn die braunen Soldaten marschieren." Fibeln der NS-Zeit.* In: Geschichte lernen, Heft 24, 1991, S. 24–27.

Schulenburg, Ulrich u. a. (Hg.): *Lebensbilder eines Humanisten. Ein Franz Theodor Csokor-Buch.* Wien, München: Löcker-Sessler, 1992.

Spengler, Oswald: *Jahre der Entscheidung.* München, 1933.

ders.: *Der Untergang des Abendlandes. Umriss einer Morphologie der Weltgeschichte.* München, 1973.

Tismar, Jens: *Das deutsche Kunstmärchen des 20. Jahrhunderts.* Stuttgart: Metzler, 1981 (Germanistische Abhandlungen 51).

Materialien aus dem Internet

Unter dem Stichwort Ödön von Horvàth *Jugend ohne Gott* findet
   sich im Internet eine Unmenge von Material unterschiedlichs-
   ter Qualität. Im Folgenden eine interessante Seite, die auch bei
   der Erstellung dieser Erläuterungen benutzt wurde:

www.zum.de (Stand Mai 2011)

   → Hier findet man interessante Materialien zu Ödön von
   Horváths Roman, u. a. eine Unterrichtseinheit mit Tafelbildern
   und Aussagen zu Horváths Volksstücken.

Verfilmungen:

Wie ich ein Neger wurde. BRD 1971.
   Regie: Roland Gall

Nur der Freiheit gehört unser Leben. BRD 1969.
   (ZDF-Fernsehfilm).
   Regie: Eberhard Itzenplitz

Jugend ohne Gott. Deutschland 1991.
   Regie: Michael Knof

Jeunesse sans Dieu. Frankreich 1996.
   Regie: Catarine Corsi

STICHWORTVERZEICHNIS

werden, sofort wieder in SA, SS und so weiter. Und sie werden nicht
mehr frei, ihr ganzes Leben."[102]

Die Erziehungsziele des BDM

Der Reichsjugendführer der NSDAP und Jugendführer des Deutschen Reiches Baldur von Schirach (1907–1974) beschreibt 1934
die Erziehungsziele des BDM (Bund Deutscher Mädel) und damit
die Funktion, die der NS-Staat den Frauen zugestand:

Baldur von
Schirach

„Wer im BDM organisiert ist, soll lernen, dass der neue Staat
auch den Mädchen eine Aufgabe zuweist, Pflichterfüllung und
Selbstzucht fordert. Wie der Junge nach Kraft strebt, so strebt das
Mädchen nach Schönheit. Aber der BDM verschreibt sich nicht dem
verlogenen Ideal einer geschminkten und äußerlichen Schönheit,
sondern ringt um jene ehrliche Schönheit, die in der harmonischen
Durchbildung des Körpers und im edlen Dreiklang von Körper, Seele und Geist beschlossen liegt.
  Diesem Ziel dient die immer größer werdende sportliche Arbeit
des BDM, diesem selben Ziel die weltanschauliche Schulung. ...
Die Generation, die einmal an der deutschen Zukunft mitgestalten
will, braucht heroische Frauen. Schwächliche ‚Damen' und solche
Wesen, die ihren Körper vernachlässigen und in Faulheit verkommen lassen, gehören nicht in die kommende Zeit. Der BDM soll die
stolzen und edlen Frauen hervorbringen, die im Bewusstsein ihres
höchsten Wertes nur dem Ebenbürtigen gehören wollen.
  Der Eintritt in den BDM verpflichtet die Mädels zu einem Leben,
das anders ist als das aller anderen Jugend. Auch sie geloben sich
der Gemeinschaft und stellen das Ziel der Gemeinschaft höher als

---

102 Völkischer Beobachter vom 4. Dezember 1938.

ihr ‚Ich'. Sie sollen tanzen und fröhlich sein, sollen aber wissen, dass
es für sie kein Privatleben gibt, sondern dass sie ein Teil bleiben
ihrer Gemeinschaft und ihres hohen Zieles."[103]

Die Dämonologie des Kleinbürgertums

Franz Werfel

Franz Werfel (1890–1945) versucht im Vorwort der Erstausgabe von
Ein Kind unserer Zeit die Bedeutung der Romane *Jugend ohne Gott*
und *Ein Kind unserer Zeit* als „Dämonologie des Kleinbürgertums"
herauszustellen:

„... Die fragmentarische Leistung jedoch genügt schon, um zu ah-
nen, dass dieser Dichter dazu geboren war wie kein andrer, dem
deutschen Roman die erschöpfende ‚Dämonologie des Kleinbürgertums' zu schenken. *Jugend ohne Gott* und *Ein Kind unserer Zeit* wä-
ren vermutlich die ersten Bände dieser Dämonologie geworden.

Der Kleinbürger, wie ihn Horváth schildert, ist weniger der An-
gehörige einer Klasse als der dumpf-gebundene, dem Geiste wi-
derstrebende, als der schlechthin verstockte Mensch. Während der
sozial Tiefer- und auch der Höherstehende ... der Wahrheit sich öff-
nen, kämpft der erbitterte Mittelmensch um den Bestand der Lüge,
denn ohne sie geht er zugrunde. Er ist der Statthalter des Teufels
auf Erden, ja der Teufel selbst. ... Mit unerbittlicher Folgerichtigkeit
stellt sich dieser Typus in der Ich-Erzählung selbst dar. Horváth zeigt
mit der leichten Hand, die seinen Stil auszeichnet, die politische
Ursache und Konsequenz. Auf dem verstockten Menschen, der um
den Bestand der Lüge kämpft, beruht alle kollektive Teufelei. Mit
ihm stehen und fallen die totalen Despotien. Von der Kälte seines
Herzens geht der große Weltwinter aus, der die Zeit lähmt."[104]

---

103 Schirach, S. 97 f.
104 Werfel, Franz: *Vorwort* zu Ödön von Horváth: *Ein Kind unserer Zeit*, Roman. Amsterdam: Allert de
Lange, 1938, S. IV–VI.

den „eigentlichen Kern des Buches" in der Bekehrung des Lehrers. **Montesi** betont aber auch, dass Horváths Gott „nicht ganz der Gott der Christen" sei: „Dass Gott auch die Liebe ist und die Barmherzigkeit, nicht nur die Wahrheit und das Richten, das bleibt verschwiegen. Dennoch ist Horváths Roman ein erschütterndes Gottesbekenntnis."[96]

„nicht ganz der Gott der Christen"

Auch die „Textgattung" und die Sprache Horváths rücken nach 1945 mehr in den Vordergrund der Besprechungen. Bezeichnet **Montesi** Horváths Darstellung der Jugenderziehung in einem faschistischen Staat als „bohrende Satire"[97], so sieht **Heide Kampils-Piffl** in **Die Presse** im Roman „die schmerzhafte Tragikkomödie des nach einem neuen Humanismus suchenden Menschen."[98]

Auch über die sprachliche Darstellung des Buchs gehen die Meinungen auseinander. Sieht **Montesi** die „ungewöhnliche Wirkung" von Horváths Roman gerade darin, „dass er in einer fast skeletthaft reduzierten Sprache erzählt wird"[99], so betont **Angelika Steets**, dass Horváth sich nicht an vorgegebene literarischen Schemata bindet, zwar auf bekannte Formen zurückgreift, aber ihre typischen Merkmale nicht ausschöpft und systematisch einsetzt.[100] **Burckhard Garbe** schließlich beschreibt Horváths Sprache als „poetische Prosa", deren wichtigstes Merkmal in den ästhetisch begründeten Abweichungen von der vertrauten Alltagssprache zu finden sei.[101]

---

96 Wort und Wahrheit 3, 1948.
97 Ebd.
98 Die Presse (Wien) vom 14./15. März 1970.
99 Wort und Wahrheit 3, 1948.
100 Vgl. Streets, Angelika: *Die Prosawerke Ödön von Horvaths.*
101 Vgl. Garbe, S. 92 ff.

5. MATERIALIEN

Der nationalsozialistische (Erziehungs-)Lebenslauf

Adolf Hitler

In seiner Rede vom 2. Dezember 1938 in Reichenberg gibt Adolf Hitler (1889–1945) ein unverblümtes Bild der Ziele und Methoden, Jugendliche im Nationalsozialismus systemkonform zu erziehen und sie ihr Leben lang gefangen zu halten:

„Diese Jugend lernt ja nichts anderes als deutsch denken, deutsch handeln. Und wenn nun dieser Knabe und dieses Mädchen mit ihren zehn Jahren in unsere Organisationen hineinkommen und dort nun so oft zum erstenmal überhaupt eine frische Luft bekommen und fühlen, dann kommen sie vier Jahre später vom Jungvolk in die Hitlerjugend, und dort behalten wir sie wieder vier Jahre, und dann geben wir sie erst recht nicht zurück in die Hände unserer alten Klassen- und Standeserzeuger, sondern dann nehmen wir sie sofort in die Partei oder in die Arbeitsfront in die SA oder in die SS, in das NSKK und so weiter.

Und wenn sie dort zwei Jahre oder anderthalb Jahre sind und noch nicht ganze Nationalsozialisten geworden sein sollten, dann kommen sie in den Arbeitsdienst und werden dort wieder sechs oder sieben Monate geschliffen, alle mit einem Symbol, dem deutschen Spaten. Und was dann nach sechs oder sieben Monaten noch an Klassenbewusstsein oder Standesdünkel da ist oder da noch vorhanden sein sollte, das übernimmt dann die Wehrmacht zur weiteren Behandlung auf zwei Jahre.

Und wenn sie dann nach zwei oder drei oder vier Jahren zurückkehren, dann nehmen wir sie, damit sie auf keinen Fall rückfällig

6. PRÜFUNGSAUFGABEN MIT MUSTERLÖSUNGEN

Unter www.königserläuterungen.de/download finden Sie im Internet zwei weitere Aufgaben mit Musterlösungen.

Die Zahl der Sternchen bezeichnet das Anforderungsniveau der jeweiligen Aufgabe.

Aufgabe 1 **

Nach dem Selbstmord des Schülers T wird der Lehrer von der Polizei zum Verhör an den Tatort gebracht (HL S. 99 ff./ST S. 136 ff.).
a) Wieso versucht die Mutter des Schülers T die Schuld am Tod ihres Sohnes allein dem Lehrer anzulasten?
b) Wie wird ihre Absicht enttarnt?

Mögliche Lösung in knapper Fassung: INTERPRETATION
zu a)

→ Sie will nicht, dass ihr Sohn als Mörder entlarvt wird (HL S. 101/ ST S. 137: „,Lüge!', kreischt sie. ,Alles Lüge! Nur er hat die Schuld, nur er! Er hat meinen Sohn in den Tod getrieben! Er, nur er!'").

→ Sie hat Angst um das Ansehen der Familie, will sich die „Schande ersparen" (HL S. 104/ST S. 141).

→ Sie fürchtet den evtl. Verlust ihres Lebensstandards.

→ Sie will sich nicht mit dem Versagen ihrer Stellung als Mutter auseinandersetzen.

zu b)

→ Der Lehrer charakterisiert T und motiviert so seine Tat: „Und ich rede von dem fremden Jungen, der den N erschlagen hat, und erzähle, daß der T zuschauen wollte, wie ein Mensch kommt und geht. Geburt und Tod, und alles, was dazwischen liegt, wollt er genau wissen. Er wollte alle Geheimnisse ergründen, aber nur, um darüberstehen zu können – darüber mit seinem Hohn. Er kannte keine Schauer, denn seine Angst war nur Feigheit. Und seine Liebe zur Wirklichkeit war nur der Haß auf die Wahrheit." (HL S. 102/ST S. 139)

→ Er erinnert an das geschlossene Sägewerk und die hungernden Kinder (HL S. 102/ST S. 140).

→ Als die Mutter T's daraufhin einen hysterischen Anfall bekommt, verliert sie den 2. Teil des Abschiedsbriefes ihres Sohnes, in dem er den Mord gesteht, und legt ein Geständnis ab (HL S. 103/ST S. 141).

Aufgabe 2 ***

Das Gespräch im Zigarettenladen (HL S. 64–66/ST S. 89–91) bildet den Wendepunkt im Leben des Lehrers.
a) Ordnen Sie den Text in den Gesamtzusammenhang des Romans ein.
b) Beschreiben Sie den Weg des Lehrers vom „Gottessucher" zum „Gottesfinder".

Mögliche Lösung in knapper Fassung:
zu a)

ANALYSE

Nachdem der Schüler N während des Zeltlageraufenthalts der Klasse ermordet wurde, kommt es zum Prozess gegen den vermeintlichen Täter, den Schüler Z. Der Lehrer hat bisher verschwiegen,